Au nom du passé

ANNETTE BROADRICK

Au nom du passé

Collection *Passion*

éditions Harlequin

Cet ouvrage a été publié en langue anglaise
sous le titre :
LEAN, MEAN & LONESOME

Traduction française de
NATALIA DELYS

HARLEQUIN®

est une marque déposée du Groupe Harlequin
et Passion® est une marque déposée d'Harlequin S.A.

Originally published by SILHOUETTE BOOKS,
division of Harlequin Enterprises Ltd.
Toronto, Canada

Photo de couverture
© BRUKE/TRIOLO PRODUCTIONS / GETTY IMAGES

Toute représentation ou reproduction, par quelque procédé que ce soit, constituerait
une contrefaçon sanctionnée par les articles 425 et suivants du Code pénal.
© 1999, Annette Broadrick. © 2005, Traduction française : Harlequin S.A.
83-85, boulevard Vincent-Auriol, 75013 PARIS — Tél. : 01 42 16 63 63
Service Lectrices — Tél. : 01 45 82 47 47
ISBN 2-280-08409-0 — ISSN 0993-443X

Depuis toujours, Rafe McClain était un solitaire.

C'était le mode de vie qui lui convenait, aussi n'avait-il jamais vraiment réfléchi au sens profond du mot amitié. Pourtant, depuis qu'il avait reçu cette lettre de Dan Crenshaw, une réflexion lui revenait sans cesse à l'esprit au cours de ces derniers jours :

« Un homme digne de ce nom ne refuse pas son aide à un ami en difficulté. »

La lettre que lui avait fait parvenir Dan l'avait obligé à se remettre en question. En la lisant, il s'était trouvé replongé dans un autre temps, une autre vie..., une page de sa vie qu'il avait délibérément effacée de sa mémoire une dizaine d'années auparavant.

Mais c'était un appel au secours que Dan lui lançait, et Rafe avait tout de suite su qu'il ne pourrait l'ignorer.

Voilà pourquoi il se trouvait dans cet avion, assommé de fatigue, effectuant la dernière étape d'un voyage qui avait commencé plusieurs fuseaux horaires plus tôt. Cela faisait deux jours maintenant qu'il était en route, patientant dans des aéroports sans âme, tuant le temps comme il pouvait, et surtout se demandant heure après heure ce qui avait bien pu se passer pour que Dan lui envoie cette foutue supplique.

Il se frotta la joue et grimaça au contact de sa barbe rêche.

Il aurait dû se raser lors de l'escale d'Atlanta. Il était trop tard maintenant, l'avion allait atterrir à Austin dans moins d'une heure.

Austin, le Texas…

Rafe avait cet endroit en horreur. Il n'avait pas remis les pieds dans cet Etat depuis douze ans et ne ressentait pas la moindre pointe de nostalgie à l'idée de revenir sur sa terre natale. Lorsqu'il l'avait quittée, son bac en poche, il s'était juré de ne jamais y revenir.

Il avait tenu son serment douze ans.

Oui, mais voilà, Dan Crenshaw était son meilleur ami, pour ne pas dire le seul… Dans sa lettre, il disait à demi-mot qu'il savait pouvoir compter sur lui, tout comme lui-même n'avait jamais douté que Dan répondrait présent s'il se trouvait en difficulté…

Le message était vague : Dan s'était contenté d'écrire qu'il avait besoin de son aide, sans révéler la nature du problème. Il avait bien tenté plusieurs fois de l'appeler, mais sans jamais parvenir à le joindre.

Il n'avait donc pas eu d'autre choix que de partir, tout en ignorant si son arrivée au ranch Crenshaw serait d'une quelconque utilité… C'était embêtant que ce courrier ait mis tant de temps à lui parvenir. Le cachet de la poste indiquait qu'il était parti cinq semaines plus tôt, et Rafe craignait d'arriver trop tard.

Il ne pouvait s'empêcher de redouter son retour là-bas.

Art Crenshaw ne lui avait-il pas interdit de remettre les pieds dans son ranch ? Bon, ceci dit, le père de Dan étant décédé cinq ans auparavant, il n'avait plus à se faire de souci de ce côté-là…

Arrivé à Austin, Rafe réceptionna ses bagages et alla récupérer la voiture de location qu'il avait réservée. Il ne lui fallut qu'une heure pour gagner l'ouest de la ville et parcourir les quarante-cinq kilomètres de campagne texane qui menaient au ranch.

Tout en conduisant, il s'étonna de voir à quel point la ville s'était étendue. Il remarqua même un club de polo sur la route. Du polo ! Au Texas !

Distrait malgré lui, il secoua la tête. Comme les temps changeaient…

Lorsqu'il arriva devant l'entrée du ranch Crenshaw, il n'avait qu'une idée en tête : se laisser tomber sur un bon lit et dormir plusieurs heures d'affilée. Quelle que soit la raison pour laquelle on l'avait fait venir, il avait droit à un peu de repos !

Il descendit de voiture pour ouvrir la grille mais eut la surprise de la trouver cadenassée. Un panneau accroché à la grille annonçait : « Propriété privée — Défense d'entrer ».

Rafe n'avait jamais vu cet écriteau, pas plus que le cadenas. Autrefois, la serrure à combinaisons pouvait être ouverte facilement par ceux qui connaissaient les dates de naissance de Dan et de sa sœur.

Mandy Crenshaw.

Cela faisait des années qu'il s'efforçait de ne plus penser à elle. La dernière fois qu'il avait vu Mandy, avec sa mine enjouée, ses boucles rousses et son sourire ravageur, celle-ci avait quinze ans… Il avait l'intuition qu'elle serait aussi contrariée de le revoir que l'aurait été feu son père.

Dans les quelques lettres que Dan lui avait envoyées, il avait mentionné que sa sœur était allée vivre à Dallas. C'était mieux ainsi. Rafe n'avait pas la moindre envie de recroiser la route de la jeune femme pendant son séjour au Texas…

Il considéra le cadenas et jeta un coup d'œil à sa montre. Il était près de minuit.

Il pouvait dormir dans la voiture et attendre le lendemain matin pour s'annoncer. Il pouvait aussi escalader la grille et parcourir à pied la distance qui le séparait de la maison !

Aucune des deux options ne le tentait particulièrement, mais moins encore la première...

Agacé, il revint à son véhicule et empoigna son sac de voyage — heureusement qu'il voyageait léger ! Puis il entreprit d'escalader la grille.

Il savait qu'il prenait un risque en pénétrant dans la propriété à cette heure indue de la nuit. Au Texas, les intrus pouvaient être abattus avant même d'avoir eu l'opportunité d'expliquer leur présence... Oui, mais pour que Dan lui tire dessus, il faudrait d'abord qu'il découvre sa présence !

Rafe sourit à la pensée de mettre en pratique les techniques de camouflage qu'il enseignait en Europe de l'Est. C'était l'occasion de vérifier qu'il tenait la route !

Aussitôt dit, aussitôt fait.

Quand il arriva à proximité des bâtiments du ranch, il avait réussi à dépasser, sans se faire remarquer, deux gardiens armés. Un sacré dispositif de sécurité !

Que diable se passait-il ici ?

Un mauvais pressentiment l'envahissait peu à peu.

La maison principale, de style typiquement texan, était éclairée par plusieurs lampadaires. Il n'y avait donc pas moyen de s'en approcher sans être vu. Une longue véranda occupait tout l'arrière du bâtiment.

Rafe se souvenait parfaitement de l'intérieur de la maison, douillet et confortable, meublé richement mais sans ostentation. Il se rappelait que, dans sa jeunesse, il avait rêvé de posséder un jour une maison similaire et une famille aimante.

Il s'amusait aujourd'hui de ces rêves d'adolescent qui l'avaient aidé, à l'époque, à traverser les moments difficiles.

Bon. Rester là à admirer cette maison n'allait pas beaucoup l'avancer ! Il ne semblait pas y avoir de gardiens autour du bâtiment, mais il ne fallait pas prendre de risque inutile. Aussi, il dissimula son sac dans un buisson et entreprit une lente et délicate approche.

Quand enfin il parvint dans la zone éclairée, il se sentait royalement agacé devant le ridicule de la situation : pourquoi n'avait-il pas tout simplement appelé Dan pour qu'il vienne le chercher à l'aéroport ? Cela lui aurait évité d'avoir à jouer les rôdeurs !

Soudain, à l'intérieur de la maison, un chien se mit à aboyer furieusement.

Rafe s'appuya contre le mur près de la porte de la cuisine et attendit.

Mandy Crenshaw se dressa précipitamment dans son lit en entendant aboyer Ranger.

Il n'aboyait pas sans raison, sa brusque réaction indiquait clairement qu'un intrus rôdait dans les parages : quelqu'un avait pénétré dans la propriété…

Elle jeta un coup d'œil par la fenêtre de sa chambre. Rien de visible, mais les aboiements de Ranger allaient inciter les gardiens à venir inspecter les alentours.

Elle enfila une robe de chambre et marcha silencieusement dans le couloir pour gagner l'aile principale de la demeure : Ranger continuait d'aboyer furieusement devant la porte de la cuisine.

Elle entendit alors une voix masculine qui tentait d'apaiser le chien au travers de la porte et se figea, incrédule.

Son esprit se refusait à admettre ce que son cœur avait immédiatement su. Elle connaissait cette voix ! Cette voix grave qu'elle n'avait plus entendue depuis de longues années et qu'elle s'était attendue à ne plus jamais réentendre.

Au bord de la panique, elle alluma la lumière de la cuisine.

Un homme grand et mince se profilait derrière la porte vitrée. La lumière le lui révéla progressivement, comme si ses sens avaient besoin de ce temps d'adaptation pour prendre conscience de la situation.

— Rafe ! murmura-t-elle.

Elle s'éclaircit la gorge.

— Ça suffit, Ranger !

Le chien cessa d'aboyer, mais continua à gronder.

Mandy ouvrit alors la porte et fit signe d'entrer au visiteur inattendu. Elle sentait son cœur battre comme s'il allait s'échapper de sa poitrine.

Comme Rafe entrait, la première chose qu'elle remarqua fut ses bottes — des bottes usées qui auraient dû prendre leur retraite depuis longtemps déjà ! Un jean passé épousait impeccablement ses longues jambes musclées et mettait en valeur sa virilité. Sa chemise fatiguée était ouverte, révélant une partie de son torse tanné. Son regard s'arrêta vers la mâchoire bien dessinée, couverte d'une barbe de deux jours.

En découvrant enfin ses yeux sombres et intenses, elle frissonna.

Elle ne pouvait pas quitter Rafe des yeux.

Dans cette lumière crue sans pitié, ce n'était plus le jeune garçon dont elle se souvenait. Deux traits profonds creusaient ses joues de chaque côté de la bouche, et des rides se dessinaient sur son front, autour de ses yeux. Quoi que Rafe ait fait de sa vie pendant tout ce temps, elle devinait que ça n'avait pas été facile…

Mandy posa sa main sur la tête de Ranger.

— Ça suffit ! intima-t-elle à l'animal qui n'avait cessé de gronder.

Rafe s'appuya contre la porte et laissa Ranger le renifler. Apparemment satisfait, le chien retourna se coucher.

— Que fais-tu ici ? demanda-t-elle d'un ton peu amène.

Rafe esquissa un demi-sourire.

— Je n'avais pas l'intention de t'effrayer. Je cherche Dan.

— Dan ?

— Oui, il m'a demandé de venir.

— Comment es-tu arrivé jusqu'ici ?

— Le plus simplement du monde ! Par avion et en voiture, jusqu'au ranch. Ensuite, il m'a fallu marcher jusqu'à la maison. Pourquoi diable Dan a-t-il installé un cadenas sur la grille ? Cela a-t-il un rapport avec le problème dont il veut me parler ?

Mandy secoua la tête pour s'éclaircir les idées.

Tout cela n'avait aucun sens. Rafe McClain était de retour au Texas et il disait être revenu à la demande de son frère...

Elle frissonna.

— Quand as-tu parlé à Dan ? lui demanda-t-elle.

— Je ne lui ai pas parlé, il m'a envoyé une lettre il y a plusieurs semaines. Celle-ci a mis longtemps à parvenir jusqu'à moi. Il me demandait mon aide.

Il haussa les épaules.

— Alors me voici !

Mandy se détourna pour jeter un coup d'œil par la fenêtre, cherchant à maîtriser le tourbillon d'émotions que la situation présente déchaînait en elle.

— Je ne comprends pas comment tu as pu atteindre la maison sans être vu...

— J'ai pris mes précautions. Je n'avais pas envie de me faire tuer !

Il s'étira en bâillant.

Mandy se força à lui faire face.

— Où étais-tu, quand la lettre de Dan t'est parvenue ?

— En Ukraine.

Elle lui lança un regard surpris :

— Que faisais-tu là-bas ?

Rafe haussa un sourcil :

— Tu es de la police ou quoi ?

Il n'avait pas changé. Elle reconnaissait cette façon sarcastique qu'il avait d'éluder les questions auxquelles il ne souhaitait pas répondre. En ce qui le concernait, d'ailleurs, la plus naïve des questions pouvait sembler trop personnelle !

Rafe tira une chaise et s'assit en soupirant.

Mandy avait parfaitement conscience d'être impolie, mais elle ne savait tout simplement pas quelle attitude adopter.

Pourquoi Dan ne lui avait-il jamais avoué qu'il était resté en contact avec Rafe ? Le prénom de celui-ci n'avait pas été prononcé entre eux depuis des années… Et pourquoi Dan avait-il pensé que Rafe était en mesure de l'aider ? Autant de questions sans réponse qui se bousculaient dans sa tête.

De toute façon, il lui fallait prendre une décision : ne devrait-elle pas appeler le contremaître et faire expulser Rafe de la propriété ?

Elle sentait la rougeur lui monter aux joues.

Elle avait toujours envié le teint mat de Rafe, cette peau qui gardait une teinte cuivrée hiver comme été. Au soleil, elle-même devenait invariablement rouge écrevisse, et il n'y avait rien qu'elle puisse faire pour empêcher son teint de refléter son embarras pour la moindre broutille.

Or, cet instant était bougrement embarrassant, et il ne s'agissait pas d'une broutille !

14

Rafe perçut sans doute son malaise, car il se décida de lui-même à renouer le fil de la conversation.

— Je suis consultant, lui apprit-il.

Consultant ! Bizarre. Elle avait du mal à imaginer Rafe en costume cravate, évoluant dans des bureaux.

— Quelle sorte de consultant ?

Un bref sourire illumina le visage de son interlocuteur.

— Crois-moi, mieux vaut que tu ne le saches pas !

Il regarda autour de lui.

— Cette pièce a été refaite, remarqua-t-il.

— C'est Dan qui s'en est chargé, il y deux ans.

— Tu vis au ranch ?

— Non, j'habite à Dallas. Là, je suis en congé.

Rafe jeta un regard rapide vers ses mains qu'elle tordait continuellement.

S'en apercevant, Mandy les mit délibérément dans son dos.

— Tu n'es pas mariée ? demanda-t-il, l'air étonné.

Evitant son regard, Mandy secoua la tête négativement.

— Non.

— Pourquoi ?

Mandy se raidit. C'était bien à lui de se permettre de lui poser des questions personnelles !

— Et toi, pourquoi n'es-tu pas marié ? répliqua-t-elle du tac au tac.

— Je ne reste pas assez longtemps au même endroit. La plupart des femmes que j'ai rencontrées souhaitaient que leur mari vive à longueur de temps avec elles.

Mandy faillit sourire. En effet, elle avait du mal à imaginer Rafe dans le rôle de l'époux au foyer...

— Et toi, quelle est ton excuse ? reprit-il.

Elle leva le menton d'un air de défi.

— Peut-être qu'aucun homme ne m'a jamais demandée en mariage !

Rafe sourit, et l'estomac de Mandy se retourna.

— Je n'en crois rien, déclara-t-il tandis que son regard glissait sur elle en une inspection qui la laissa frissonnante.

— En tout cas, personne que j'avais, moi, envie d'épouser ! précisa-t-elle.

Elle croisa les bras sur sa poitrine.

— Dan pense que j'ai mauvais goût en matière d'hommes.

Elle soutint son regard pendant un long moment avant de détourner les yeux.

— Tu ne m'as toujours pas dit où était Dan.

— Il… il n'est pas là.

— Mais alors, où est-il ? s'emporta Rafe. Tu éludes sans cesse mes questions ! J'ai fait un long chemin pour lui venir en aide, alors dis-moi où il est !

Mandy avait su dès le départ qu'il lui faudrait répondre à cette question. Elle avait espéré y parvenir sans craquer, mais l'heure tardive et sa sensibilité à fleur de peau depuis que Rafe avait fait irruption ne l'aidaient pas.

Elle déglutit difficilement. Elle avait du mal à exprimer ses pensées par des mots. Elle souhaitait tellement se tromper…

— Je crois bien que Dan est mort, dit-elle finalement d'une voix blanche.

2.

Rafe étudia la jeune femme en silence. Elle semblait croire à ce qu'elle venait de dire, mais lui ne parvenait pas à donner un sens à ses paroles.

— *Mort* ?

Il répéta ce mot comme s'il ne l'avait jamais entendu.

— Ce n'est pas possible, décréta-t-il en secouant la tête. Je le saurais, si quelque chose de ce genre était arrivé ▷an. Il…

Sa voix dérailla.

Il savait que ce qu'il venait de dire était stupide : lui, mieux que quiconque, était conscient de la rapidité avec laquelle une vie pouvait s'envoler.

Rafe se passa la main sur le visage. Sa fatigue avait momentanément disparu.

— Tu devrais commencer par le début, Mandy, et m'ex pliquer ce qui se passe ici !

L'air absent, Mandy prit un verre et le remplit d'eau. Rafe fut sur le point de lui demander à boire, mais se ravisa.

Elle se tourna vers lui, ses yeux trop brillants perdus dans le vague.

Il cherchait avidement dans la femme qui se tenait devant lui des traces de la jeune fille qu'il avait connue. La façon de se tenir, de se mouvoir, peut-être… En tout cas, Mandy

17

était toujours aussi belle. Et il fut obligé d'admettre qu'elle provoquait toujours chez lui les mêmes réactions...

Elle était toujours mince mais arborait maintenant des courbes qui devaient faire se retourner plus d'un homme sur son passage. Sa chevelure rousse tombait en cascade sur ses épaules, lui conférant un air altier. Sa peau satinée donnait envie de lui caresser le visage, et il sentit ses mains le démanger de ne pouvoir la toucher.

Elle le considéra de nouveau et avala péniblement sa salive. Il fut frappé par la nervosité qui émanait d'elle.

— Je n'ai pas vu Dan depuis plus de deux mois, commença Mandy. Nous étions tous les deux très occupés, mais nous avions pour habitude de nous téléphoner chaque semaine. Et puis, il y a dix jours, j'ai reçu un coup de fil de Tom Parker, le contremaître du ranch. Il m'a demandé si j'avais vu Dan dernièrement ou si je lui avais parlé.

— Pourquoi t'a-t-il appelée ?

— Dan avait disparu. Tom s'était déjà renseigné auprès de plusieurs personnes, y compris son associé, mais personne n'avait pu lui expliquer ce départ.

— Tu veux dire qu'il a... disparu sans prévenir quiconque ?

— Tom m'a raconté qu'il s'était entretenu avec lui un soir. Il voulait lui suggérer de déplacer le bétail sur d'autres terres. Dan était pressé, il lui a expliqué qu'il avait un rendez-vous ce soir-là et qu'ils se verraient le lendemain matin pour en rediscuter... Mais le lendemain, il ne s'est pas montré.

— Quelqu'un sait-il qui il devait rencontrer et où ?

— Hélas non. On pense qu'il a dû retrouver quelqu'un sur la piste d'atterrissage et partir avec lui : Tom a trouvé la jeep garée à côté de la piste.

— Quelle piste ?

— Dan a fait construire une piste d'atterrissage il y a trois ans. Son associé et lui envisageaient d'acheter un avion. En attendant, ils en louaient un de temps à autre.

Rafe secoua la tête.

— Tout cela ne me dit rien qui vaille. Je crois que je vais devoir prendre un peu de repos si je veux mettre de l'ordre dans ces informations...

— J'espère que le sommeil t'aidera ! rétorqua Mandy avec un sourire amer. Moi, j'ai beaucoup de mal à dormir depuis que Tom m'a annoncé la disparition de mon frère. Je suis venue immédiatement au ranch pour voir si je pouvais découvrir quelque chose... Je ressens une immense frustration, ajouta-t-elle en cherchant son regard, car en dehors de Tom et de moi, personne ne semble inquiet. Son associé a déclaré que Dan reviendrait quand ça lui chanterait... C'est insensé ! Je connais Dan, il ne disparaîtrait pas comme ça. Il aurait prévenu s'il avait eu un problème quelconque.

— Tu as raison, acquiesça Rafe avec lassitude. Dan est l'un des hommes les plus responsables que je connaisse.

Mandy l'observa pendant plusieurs secondes.

— Tu as raison, Rafe, tu as besoin de dormir. Va te coucher, nous discuterons demain matin.

Il hocha la tête. De nouveau, il se sentait envahi par la fatigue.

— Etant donné que Dan a disparu depuis plusieurs jours, j'imagine que quelques heures de plus ne changeront pas grand-chose...

Mandy se dirigea vers le hall.

— Tu peux t'installer dans sa chambre.

Rafe attendit qu'elle ait allumé la cage d'escalier pour éteindre la cuisine. Ranger, allongé sur le sol, le regardait sans broncher.

— Je suis content que tu prennes soin d'elle, souffla-t-il en se penchant vers l'animal.

Puis il emboîta le pas à la jeune femme.

— Dan a emménagé dans la chambre principale après la mort de maman, expliqua Mandy.

Rafe s'immobilisa derrière elle.

— J'ai été désolé d'apprendre, pour ta mère. Elle a toujours été bonne pour moi. Je ne l'ai pas oublié.

— Tout s'est passé très vite, dit Mandy, le regard fixe. Au moins, elle n'a pas souffert.

— Son cœur ?

— Oui.

Elle le regarda.

— Papa, en revanche, a été malade durant de longs mois. Un cancer...

Mais Rafe n'avait pas la moindre envie de parler du père Crenshaw. Pas maintenant. Jamais, même !

Il entra pour la première fois dans cette chambre qu'il ne connaissait pas.

Mandy lui désigna la porte de la salle de bains attenante.

— Tu trouveras des serviettes de toilette et tout ce dont tu auras besoin... Nous parlerons demain.

Et sans ajouter un mot, elle quitta doucement la pièce et referma la porte derrière elle.

Ce fut à cet instant que Rafe se souvint que son sac était resté caché à l'extérieur. Tant pis, il n'avait pas le courage de retourner le chercher maintenant.

Il jeta un regard circulaire dans la pièce : un grand lit, des étagères, des livres à profusion...

Il esquissa un sourire en se souvenant de la passion de Dan pour la lecture, mais son sourire disparut aussitôt lorsqu'il se remémora le récit de Mandy.

Dan ne pouvait pas être mort ! Jamais il ne se serait mis dans une situation qui aurait mis sa vie en danger ! Ceci dit, un accident pouvait toujours survenir. Oui, mais, si Dan était vivant, pourquoi ne donnait-il aucun signe de vie ?

Il s'approcha d'un des murs de la chambre où des dizaines de photographies étaient épinglées. La plupart d'entre elles avaient été prises au ranch. On y voyait des membres de la famille, des animaux domestiques, du bétail... Rafe fut étonné de découvrir qu'il figurait sur une bonne partie des clichés. Il ne se souvenait pas d'avoir été si mince, ni d'avoir eu l'air aussi grave.

Certaines photos avaient été prises lors de la fête que les Crenshaw avaient organisée pour fêter leur baccalauréat à tous les deux. La dernière nuit qu'il avait passée au ranch... Il y avait notamment un cliché de Mandy dans sa robe en coton rose à bretelles.

Il n'avait nul besoin de cette photo pour se rappeler la jeune fille ce soir-là, ses yeux brillants, son sourire charmeur... Elle paraissait alors plus âgée que ses quinze ans, et découvrait tout juste le pouvoir qu'elle avait d'attirer les regards masculins.

Rafe avança la main et suivit de l'index le contour de son cou, la courbe de son épaule... Hélas, il n'avait oublié ni la saveur de ses lèvres, ni la douceur de sa peau, ni à quel point il avait eu envie de lui faire l'amour cette nuit là.

Puis il reporta délibérément son attention sur une autre photo qui le représentait en compagnie de Dan : dans son costume, celui-ci avait un air solennel que démentaient ses yeux rieurs.

Rafe étudia de plus près le jeune garçon que lui-même avait été. Comme il paraissait solennel, lui aussi. En revanche, dans ses yeux, aucune lueur d'amusement mais déjà la ferme volonté de faire quelque chose de sa vie.

Et il y était parvenu ! conclut-il en se détournant.

Rafe resta longtemps sous la douche, laissant l'eau chaude soulager la raideur de ses membres. Puis il se laissa tomber sur le lit. Il avait grand besoin de quelques heures d'oubli.

Après avoir quitté la chambre où elle avait conduit Rafe, Mandy retourna se coucher.

Une fois la tête sur l'oreiller, elle soupira profondément.

Le retour de Rafe McClain était un choc dont elle se serait bien passé actuellement. Pourtant, il lui fallait admettre que si quelqu'un était en mesure de résoudre le mystère de la disparition de Dan, c'était sans doute Rafe. Elle était somme toute soulagée de sa présence. En outre, savoir que Dan avait fait appel à Rafe la confortait dans sa conviction que quelque chose n'allait pas dans la vie de son frère...

Mais sans cesse ses pensées revenaient vers Rafe.

Comment une personne qu'elle n'avait pas revue depuis douze ans pouvait-elle lui faire toujours cet effet-là ?

Jamais elle ne pourrait oublier le jour où Rafe était arrivé au ranch pour la première fois. Il avait quatorze ans, le même âge que Dan. Elle venait d'en avoir onze. Ce jour-là, Rafe portait des vêtements élimés, et ses cheveux avaient besoin d'une bonne coupe — comme aujourd'hui, d'ailleurs. Son allure générale n'avait pas réellement changé, au fond.

En revanche, Rafe était beaucoup plus mince à l'époque. Maigre, même. Et il avait sur le visage des bleus qu'il n'avait pas souhaité expliquer.

Les pensées de Mandy s'égarèrent vers ces jours où elle n'était encore qu'une enfant pleine de joie de vivre et de curiosité :

Ce samedi matin-là, elle se trouvait dans sa chambre en train de se demander si elle était prête ou non à enfouir dans des cartons ses poupées et autres jouets d'enfant. Elle aimait encore jouer avec de temps en temps, lorsqu'elle savait que Dan ne la surprendrait pas pour la traiter de bébé, mais elle avait besoin de place : l'école reprenait le lundi suivant, et elle souhaitait réorganiser sa chambre pour affronter cette nouvelle année scolaire. Comme c'était difficile d'être trop vieille pour jouer aux poupées et trop jeune pour s'en séparer !

Lorsqu'elle entendit les chiens de garde aboyer, elle jeta un coup d'œil par la fenêtre pour voir ce qui les avait alertés. Un jeune garçon très maigre se tenait debout à côté de la porte de la clôture qui délimitait la pelouse du reste du ranch. Il restait aussi immobile qu'une statue, tandis que les chiens tournaient autour de lui.

La voix de Dan se fit entendre. Aussitôt, les chiens arrêtèrent leur manège.

— Hé, Rafe ! Comment ça va ?

En entendant son prénom, Mandy reconnut vaguement le visiteur : il était allé à la même école que Dan et elle à Wimberley. Sans doute avait-il déménagé depuis, car elle ne se souvenait pas l'avoir vu depuis au moins deux ans.

Curieuse comme à son habitude, elle descendit au rez-de-chaussée et sortit au moment où Rafe avouait le but de sa visite.

— Je cherche du travail, expliqua-t-il.

Dan éclata de rire.

— Tu parles sérieusement ? Tu ne vas plus à l'école ?

— J'ai l'intention d'y retourner, mais j'ai besoin d'une adresse sur place. Alors j'ai pensé que je pourrais peut-être travailler pour ton père au ranch, le soir après l'école et le week-end.

Dan tendit la main et effleura une entaille au-dessus de l'œil gauche de Rafe. Celui-ci grimaça.

— Que t'est-il arrivé ?

— Ça n'a pas d'importance.

— C'est ton père ?

— Oublie ça.

— Tes parents vivent toujours dans l'est du Texas ?

— Ouais…

— Savent-ils que tu es ici ?

Il fronça les sourcils.

— Non. Tu ne vas pas le leur dire, au moins !

— Pas si tu ne le veux pas, promit Dan. Mais ne vont-ils pas se mettre à ta recherche ?

Rafe émit un ricanement amer.

— Ça m'étonnerait !

Il regarda par-dessus l'épaule de Dan et aperçut Mandy qui les observait. Dan se retourna et la découvrit.

— Occupe-toi de tes affaires et rentre à la maison ! lui intima son frère.

Sans un mot, elle battit en retraite et partit à la recherche de sa mère qu'elle trouva, comme souvent, en train de s'occuper de ses fleurs à l'arrière de la maison.

— Maman ! Il y a un garçon qui cherche du travail.

Sa mère s'assit sur ses talons et regarda Mandy par-dessous le rebord de son grand chapeau de paille.

— Pourquoi viens-tu m'en parler, ma chérie ? Tu sais bien que c'est ton père qui s'occupe de cela.

— Mais c'est encore presque un enfant…

Sa mère sourit.

— Vraiment ? Quel âge a-t-il ?

— L'âge de Dan. Ils étaient dans la même classe, avant que Rafe ne déménage…

— Rafe ?

Sa mère se releva, épousseta vivement sa jupe et fit le tour de la maison, suivie de près par Mandy. Les deux jeunes garçons bavardaient sur les marches de la véranda.

— Bonjour, dit-elle en tendant la main à Rafe. Je suis Amelia Crenshaw, la mère de Dan.

Le jeune garçon regarda avec hésitation la main qu'on lui tendait, puis il la prit et la secoua rapidement.

— Bonjour, je m'appelle Rafe McClain, marmonna-t-il sans regarder Amelia.

— Mandy me dit que tu cherches du travail ?

Dan lança à Mandy un regard furieux auquel elle répondit par un sourire radieux, un rien impertinent.

Rafe s'éclaircit la gorge.

— Oui, m'dame, répondit-il.

— Après l'école, bien sûr ?

— Oui, m'dame.

Amelia Crenshaw sourit.

— Pourquoi ne rentres-tu pas boire quelque chose ? Le père de Dan va rentrer d'ici une heure ou deux. Tu pourras en discuter avec lui.

Mandy sentit l'embarras de Rafe, qui n'osait pas regarder sa mère en face.

— Je peux revenir un peu plus tard, grommela-t-il.

— Mais non ! insista doucement Amelia Crenshaw. Reste avec nous. Dan va te faire visiter le ranch...

Et sans attendre la réponse, elle se détourna et monta les marches de la véranda.

— Moucharde ! jeta Dan à Mandy en lui tirant les cheveux.

— Qu'y a-t-il de secret dans le fait de chercher un travail ? répliqua-t-elle en le repoussant.

Rafe lui jeta un regard conciliant et sourit.

— Rien, fit-il. Tu n'as rien fait de mal.

Elle lui sourit en retour. Elle aimait déjà ce garçon aux yeux tristes.

Plus tard, tandis qu'ils déjeunaient tous ensemble, leur père posa à Rafe toutes sortes de questions sur ce qu'il était capable de faire, sans lui demander pourquoi il cherchait un job. Mandy se doutait que Dan avait dû le mettre au courant...

Et c'est ainsi que Rafe McClain s'installa au ranch Crenshaw ce jour d'août.

Art Crenshaw lui offrit d'emménager dans un appentis qui se trouvait entre la maison et les écuries. Personne ne fit de réflexions sur le fait qu'il n'avait pas d'effets personnels. Au moment des repas, il se présentait vêtu de vieux pantalons et chemises ayant appartenu à Dan. Ensuite, son père ayant insisté pour lui offrir un salaire en plus du gîte et du couvert, Rafe put faire l'acquisition d'une paire de chaussures et aller chez le coiffeur... Il travaillait dès l'aube, jusqu'à l'heure de l'école. Après les cours, il reprenait le labeur jusqu'à l'obscurité, et même plus tard.

Au cours des quatre années qui suivirent, Mandy s'attacha profondément à Rafe. Aujourd'hui encore, elle se souvenait à quel point son cœur se mettait à battre lorsqu'il était question de lui. Rafe, en revanche, ne la considérait pas autrement que comme l'insupportable petite sœur de Dan.

Dommage que les choses n'en soient pas restées là, pensa-t-elle. Leur vie à tous deux en aurait été bien plus facile.

Des bruits de voix tirèrent Rafe de son sommeil.

Il ouvrit les yeux et resta quelques secondes allongé, essayant de se souvenir des raisons de sa présence en ces lieux. Puis il s'assit et grimaça en sentant la raideur de ses muscles.

Il se leva et se dirigea vers la commode de Dan dans l'intention d'y chercher un caleçon. Il laissa échapper un sifflement silencieux en ouvrant le premier tiroir. Il prit un caleçon de soie et sourit.

Eh bien, Dan s'était sérieusement embourgeoisé ! Il ne manquerait pas de le taquiner là-dessus une fois qu'il aurait mis la main sur lui. S'il y parvenait…

Rafe réprima un grognement de frustration. Il détestait ne pas savoir.

Il ouvrit la porte du placard et découvrit, à gauche, une enfilade de costumes, de chemises habillées et de chaussures brillantes. A droite, une autre rangée de vêtements comprenait des jeans, des chemises à carreaux et des bottes. Intéressant… C'était comme si Dan avait deux garde-robes bien distinctes : une pour la ville et une pour la campagne !

Il essaya de se souvenir quand, pour la dernière fois, il avait eu des nouvelles de Dan, en dehors de cette énigmatique lettre le priant de venir ici. Cela devait remonter à plus d'un an. Dan lui apprenait qu'il se fiançait et espérait que Rafe serait son témoin. Avant qu'il n'ait eu le temps de répondre et de rappeler à son ami qu'il n'était certainement pas le bienvenu au ranch Crenshaw, une autre lettre tout aussi laconique l'avait informé que les fiançailles étaient rompues.

Quel dommage que Dan ne lui en ait pas dit plus sur sa vie. Que faisait-il pour avoir besoin de tous ces costumes, ces chemises et cet assortiment de cravates hors de prix ?

Rafe décrocha l'une des chemises de travail de son cintre et l'enfila. Elle lui allait parfaitement. Il n'eut pas autant de chance avec le jean… Il semblait que son ami ait quelque peu forci ces dernières années. Rafe fouilla dans la penderie et mit la main sur un jean plus ancien qui lui irait mieux. Il emprunta également une paire de chaussettes, puis enfila ses propres bottes avant de sortir de la chambre, en quête de sa première tasse de café de la journée.

Mandy n'était pas dans la cuisine, mais elle avait laissé des traces de son passage : une assiette de pain était posée à côté d'un plat de bacon frit. Rafe ne se souvenait plus de la dernière fois où il avait mangé, et son estomac le lui rappela avec véhémence.

Il se versa du café, glissa un morceau de bacon entre deux tranches de pain et regarda par la fenêtre. Pas de Mandy en vue...

D'abord, il irait récupérer son sac caché dans les buissons. Ensuite, il s'occuperait de sa voiture... Il lui faudrait aussi trouver le contremaître pour l'interroger sur la disparition de Dan.

Il ouvrit la porte de la cuisine et fit le tour de la maison pour se diriger vers l'allée principale. Il y était presque parvenu lorsqu'un léger bruit derrière lui le fit se retourner...

Trop tard !

Il ressentit une vive douleur derrière son oreille droite. La dernière chose dont il se souvint fut la vision de l'allée en calcaire se rapprochant de lui à la vitesse de l'éclair.

3.

Rafe fulminait.

Réussir à se faire assommer en pleine matinée dans la propriété d'un ami, c'était signe qu'il commençait à se faire vieux !

Assis dans la cuisine, maintenant une compresse sur l'arrière de sa tête, il regardait d'un œil noir Mandy expliquer au contremaître que l'homme qu'il venait d'assommer n'était pas un intrus.

D'après ce que Rafe pouvait en juger, tandis qu'il essayait de soigner sa bosse douloureuse et son ego blessé, Tom Parker semblait extrêmement contrarié par les explications de Mandy. Sûr que ça devait l'agacer qu'en dépit des mesures de sécurité qu'il avait mises en place, quelqu'un ait pu atteindre la maison la nuit dernière sans être découvert !

— J'avais l'intention de vous présenter Rafe ce matin, Tom, expliqua Mandy.

Le ton conciliant qu'elle employait déplut à Rafe. Après tout, elle n'avait pas besoin de se justifier auprès de ce type !

— Je ne savais pas qu'il était réveillé, poursuivit la jeune femme, sinon, je vous aurais invité à prendre un café de manière à ce que vous fassiez tous deux connaissance.

— Eh bien, allez-y, intervint l'homme d'un ton bourru. Présentez-nous…

— Rafe, je te présente Tom Parker, le contremaître du ranch. Il travaille pour Dan depuis de nombreuses années. Tom, Rafe McClain, un ami de la famille…

Rafe ne se sentait pas d'humeur affable. Se prendre un coup sur la tête n'était pas, loin de là, la meilleure façon de commencer la journée ! Ce Tom, où se trouvait-il donc, la nuit dernière, lorsque Ranger avait aboyé ?

Il s'appuya au dossier de sa chaise et observa le contremaître, nonchalamment appuyé au buffet, les bras croisés, qui le fixait d'un œil peu amène. Mais il en fallait plus pour impressionner Rafe…

— Un peu rapide, votre réaction, fit-il remarquer à Parker, en soutenant son regard.

— Vous êtes étranger à la propriété, répliqua l'autre. Vous n'avez rien à faire ici. Par les temps qui courent, c'est niveau de tolérance zéro !

Rafe effleura précautionneusement la bosse derrière son oreille.

— J'avais remarqué.

— N'attendez pas de moi que je m'excuse, grogna Parker. En l'absence de Dan, je n'ai pas le droit de prendre de risques pour la sécurité de Mandy.

— Tom, l'interrompit cette dernière, je vous ai déjà dit que…

Parker passa une main nerveuse dans sa chevelure.

— Je sais ce que vous m'avez dit, Mandy. Mais vous est-il venu à l'esprit que si ce type…

— Rafe McClain, corrigea-t-il sèchement.

— … que si M. McClain est parvenu à pénétrer dans la propriété sans que personne ne s'en aperçoive, alors c'est à la portée de n'importe qui ! Tant que nous n'aurons pas retrouvé Dan et découvert ce qui se trame par ici, nous ne serons jamais assez prudents. Après tout, qu'est-ce qui nous dit que ce type n'a pas quelque chose à voir avec la disparition de votre frère ?

Rafe s'esclaffa, puis grogna, car tout mouvement rendait sa tête douloureuse.

— Je ne suis pas en état de rire de vos stupides accusations, riposta-t-il. Alors essayez de brider un peu votre humour pour l'instant, voulez-vous ?

Il fut satisfait de voir les yeux de l'autre briller de colère.

— Je retourne travailler, annonça le contremaître en se redressant. Il faut que…

— … vous me montriez les alentours ! l'interrompit Rafe. O.K. ! C'est ce que j'attendais de vous. Maintenant que je suis au ranch, je compte bien découvrir ce qui se passe ici.

Différentes émotions se succédèrent sur le visage de Parker : incrédulité, colère, stupéfaction…

— Mais pour qui diable vous prenez-vous ? articula-t-il entre ses dents serrées.

Rafe n'avait pas bougé. Il souriait et sentait sa forme revenir au galop.

— Pour celui qui va découvrir ce qui est arrivé à Dan, affirma-t-il.

— Je vois. Vous pensez donc que vous parviendrez à réussir là où la police, Mandy et moi-même avons échoué ?

Rafe haussa les épaules.

— Nous verrons bien…

Mandy prit la parole :

— Ecoute, Rafe, il n'est pas nécessaire que tu restes. Ce n'est pas parce que Dan t'a contacté que tu dois te sentir obligé de…

— Dan l'a contacté ! s'exclama Parker. Quand ?

Il étudia Rafe avec attention.

— Comment se fait-il que je n'aie jamais entendu parler de vous, si vous êtes à ce point ami avec cette famille ? reprit-il.

L'air pensif, Rafe se gratta le menton.

— Je vais vous dire une bonne chose, Parker, fit-il d'une voix traînante. Quand j'aurai mis un point final à mon auto-biographie, je m'assurerai que vous en aurez un des premiers exemplaires. D'ici là, je ne vous dois aucune espèce d'ex-plication, compris ? J'ai bien l'intention de rester au ranch Crenshaw aussi longtemps que je l'entendrai.

Il observa son interlocuteur pendant plusieurs secondes avant d'ajouter :

— Ma présence vous gêne peut-être parce que vous vous imaginiez déjà dans la peau du nouveau patron…

Parker se raidit et fit un pas en direction de Rafe. Mandy se précipita et posa ses mains sur sa poitrine.

— Ecoutez, Tom, je connais très bien Rafe, expliqua-t-elle d'un ton apaisant. Vous ne sortirez pas vainqueur de cette discussion. Je vais lui parler, il va se calmer.

— Me calmer ! s'exclama Rafe. Hé, Mandy, si j'étais plus calme qu'en ce moment, je serais dans le coma !

La jeune femme ignora l'ironie.

— Laissez-nous seuls quelques minutes, voulez-vous, reprit-elle à l'intention de Parker. Nous sortirons tout à l'heure. Je veux montrer la piste d'atterrissage à Rafe, ainsi que d'autres choses qui n'existaient pas quand il était ici…

Parker envoya à Rafe un coup d'œil censé le faire trembler d'effroi, ce qui ne fut pas le cas. Il fit alors un signe de tête à Mandy et quitta la cuisine en laissant la porte retomber lourdement derrière lui.

— Sa mère a oublié de lui apprendre les bonnes manières, commenta Rafe, sarcastique.

Il se leva et alla se servir du café. Sa tête le faisait encore beaucoup souffrir, mais pour rien au monde il ne l'aurait admis devant Mandy. Après tout, un homme était un homme !

— Oh, tu peux parler ! riposta Mandy. Tu l'as pratiquement accusé de s'être débarrassé de Dan pour prendre la tête du ranch !

Elle se détourna et prépara des œufs brouillés qu'elle mit dans une assiette avec le reste de bacon et de pain. Puis elle posa l'assiette sur la table, devant Rafe, avec une telle brutalité qu'il sursauta.

— Mange ! lui ordonna-t-elle.

— Et toi ?

— J'ai réussi à m'occuper de moi sans ton aide pendant toutes ces années, Rafe McClain. Je n'ai pas besoin que tu te soucies de moi ! Compris ?

— Ecoute Mandy, je ne sais pas pourquoi tu es contrariée, mais je…

Il s'arrêta là. Que s'apprêtait-il à dire ? Etait-il désolé de ce qu'il avait dit ou fait ? Non. Sûrement pas !

— … je ne veux pas que tu te fâches, dit-il simplement.

— Alors assieds-toi et mange ton petit déjeuner.

Il obtempéra, sans grand appétit puisqu'il s'était déjà servi lui-même un peu plus tôt. Mais il n'osa pas protester. Mandy semblait quelque peu susceptible… Avant de s'attaquer au contremaître, peut-être aurait-il dû prendre en considération ce qu'elle avait vécu ces derniers jours.

— Tu n'avais aucune raison d'accuser Tom de vouloir mettre la main sur le ranch, lui reprocha de nouveau Mandy tandis qu'elle remplissait le lave-vaisselle.

— Tu crois ? Je suis heureux de l'entendre.

— Tom et Dan sont d'excellents amis.

— Et alors ?

— Si tu crois que Tom a quelque chose à voir avec la disparition de Dan…

— Attends un peu, Mandy ! Tu vas un peu vite. Je n'ai jamais affirmé une chose pareille !

— Si ! Tu as insinué que Tom aurait quelque chose à gagner de l'absence de Dan…

— Vraiment ? Je n'en suis pas si sûr. Je n'en sais pas assez sur ce qui s'est passé pour tirer des conclusions aussi hâtives.

— Alors que voulais-tu insinuer par cette remarque déplacée ?

Il sourit de toutes ses dents.

— Ce que je crois, c'est que Tom a des vues sur toi et qu'il n'a pas apprécié l'idée que je pourrais contrecarrer ses plans.

— Sur *moi* ?

— Allons, Mandy. Ne sois pas naïve ! Cette façon qu'il a de jouer les protecteurs avec toi, c'est flagrant ! Attention, je ne le blâme pas. A sa place, je ferais exactement la même chose. Après tout, si Dan n'avait pas eu de véritables raisons de se montrer inquiet il y a plusieurs semaines, jamais il ne m'aurait envoyé cette lettre… Le fait qu'il ait disparu et que personne ne sache pourquoi et où il est parti — ni même s'il est encore vivant — me laisse à penser que la situation est grave. Et cela te place, toi, dans une position vulnérable.

Mandy s'immobilisa et le considéra :

— Que veux-tu dire ?

— Tu es une femme très séduisante, Mandy. Et tu es aussi la personne qui héritera du ranch s'il s'avère que… quelque chose est arrivé à Dan. Tu imagines très bien quelles idées cela pourrait faire naître dans l'esprit d'un homme peu scrupuleux.

— Je vois… Tu t'imagines donc que Tom espère me récupérer avec le ranch. D'une pierre, deux coups ! Comme c'est galant de ta part de penser qu'un homme pourrait être intéressé par moi pour autre chose qu'une relation amoureuse !

Elle croisa les bras et le foudroya du regard.

— Tu délires, mon pauvre Rafe !

Rafe comprit qu'il aurait tort d'insister. Ce n'était décidément pas ainsi qu'il rentrerait dans les bonnes grâces de Mandy.

Il se leva et porta sa vaisselle sale dans l'évier. Mandy se poussa pour le laisser rincer son assiette et sa tasse avant de les placer dans le lave-vaisselle.

Il l'observa, amusé par les étincelles furieuses qui jaillissaient de son regard. Il avait oublié à quel point, autrefois, il aimait taquiner Mandy dans le seul but de la voir prendre cette expression outragée. Il ressentit une soudaine envie de l'embrasser.

Mandy regardait au loin, par la fenêtre. Il se pencha vers elle, se demandant si la saveur de sa bouche était aussi douce que dans son souvenir… Lorsqu'il se pencha, elle reporta son attention sur lui. Leurs yeux se rencontrèrent, et Rafe comprit qu'il était sur le point de commettre une grave erreur. Il devenait dingue ou quoi !

Immédiatement, il se redressa et se détourna. Depuis qu'il avait remis les pieds au Texas, il avait déjà appris une chose : Mandy Crenshaw faisait autant d'effet à l'homme qu'il était devenu qu'à l'adolescent qu'il avait été.

Mais cette fois, il était censé avoir suffisamment de *self-control* pour ne pas succomber à la tentation.

4.

Rafe regarda pensivement au-dehors par la porte vitrée. Il était grand temps qu'il se concentre sur les raisons qui l'avaient amené au ranch.

Comme Mandy ne disait rien, il reprit la parole :

— Tu as parlé de l'associé de Dan, hier… Dans quelle sorte d'affaire sont-ils associés ?

— Dan et James Williams se sont rencontrés à l'université, répondit Mandy. Ils se sont lancés dans l'informatique : ils fabriquent des cartes de circuits imprimés pour des sociétés informatiques qui souhaitent sous-traiter cette partie de leur activité. Je crois que cela marche assez bien… Ils ont une petite usine avec une quinzaine d'employés. James fait tourner l'usine tandis que Dan s'occupe des ventes et de la recherche de clients.

Elle marcha vers la table et s'assit.

Rafe la rejoignit, non sans une certaine réticence.

Il avait besoin de toutes les informations que Mandy pourrait lui fournir… Plus tôt il parviendrait à résoudre cette histoire de disparition, plus tôt il pourrait déguerpir de cette contrée hostile !

— Ceci explique pourquoi Dan passe autant de temps à voyager, réfléchit-il à haute voix.

Mandy hocha la tête.

— Mais ce Williams, reprit Rafe, n'a-t-il aucune idée de l'endroit où Dan pourrait se trouver ?

— Non, et il prétend ne pas être inquiet. Selon lui, Dan est toujours sur la route, alors… Mais il a tout de même admis que, d'habitude, Dan le prévient quand il compte s'absenter un certain temps.

Elle passa une main tremblante dans ses cheveux.

— Il n'a jamais été absent aussi longtemps, murmura-t-elle.

— Quand Tom ou ce Williams l'ont-ils vu pour la dernière fois ?

— Cela fait près de deux semaines. Tom a parlé à Dan dans la soirée du 1er juillet, et mon frère n'était plus là le lendemain pour le rendez-vous qu'ils s'étaient fixé.

As-tu remarqué si des vêtements de Dan ont disparu ?

Mandy haussa les épaules.

— Comment veux-tu que je le sache ! Je ne connais pas toutes ses affaires. Je ne sais même pas si des bagages ont disparu.

— Tu as dit avoir parlé de cette affaire au shérif, poursuivit Rafe. Qu'en a-t-il dit ?

— J'ai été reçue par un shérif adjoint qui s'est montré extrêmement condescendant. Il m'a posé toutes sortes de questions personnelles sur moi et mon frère. Il voulait savoir si j'étais censée hériter en cas de décès de Dan. Quel affreux personnage !

Elle se tut un long moment.

— Crois-tu qu'il y ait encore une chance que Dan soit en vie ?

— Arrête d'envisager le pire, gronda Rafe. Ce n'est pas parce que nous ignorons où il est qu'il faut en déduire qu'il est mort ! Il peut y avoir toutes sortes d'explications à son silence. Ne tirons pas de conclusions trop hâtives.

— Mais pourquoi n'entre-t-il pas en relation avec au moins une personne ! reprit Mandy avec feu. Pourquoi suis-je la seule à trouver étrange qu'il n'ait contacté ni moi, ni Tom, ni James !

Rafe la considéra, les sourcils froncés.

— Tu crois qu'il s'agit d'une conspiration ? Tu penses que les autres savent où il se trouve mais refusent de te renseigner ?

Elle lui lança un regard noir.

— Oh, s'il te plaît ! On dirait que tu me prends pour une névrosée !

Rafe prit une profonde inspiration et déclara lentement :

— Ce que je crois, Mandy, c'est que tu te montres trop susceptible. Comme toi, je trouve incroyable que Dan ait pu disparaître aussi soudainement, mais il est possible que quelqu'un de son entourage en sache plus qu'il ne le laisse croire... Quand lui as-tu parlé pour la dernière fois ?

La jeune femme réfléchit.

— Il y a un mois. Ces derniers temps, il me téléphonait plus fréquemment... Au cours de notre dernière conversation, il a suggéré que je prenne des congés et que je vienne au ranch.

Sa voix s'étrangla dans sa gorge.

— Il a fait remarquer que nous n'avions pas passé beaucoup de temps ensemble depuis la mort de maman. Et il pensait que j'avais besoin de décompresser un peu...

— Pourquoi ?

Mandy se mordilla la lèvre inférieure.

— J'ai rompu mes fiançailles...

— C'est une habitude familiale ! plaisanta Rafe. Dan m'avait annoncé ses fiançailles dans une lettre. Et il m'a prévenu tout de suite après que finalement il n'y aurait pas de mariage.

Mandy acquiesça.

— En effet, il a rompu avec Sharon. Il était fou de cette fille. Elle, en revanche, ne pensait qu'à faire la fête. Je dois admettre que je n'ai pas été mécontente d'apprendre qu'ils ne se marieraient pas... même si Dan a beaucoup souffert à cette période.

— Penses-tu que sa disparition puisse avoir quelque chose à voir avec Sharon ?

Mandy secoua la tête avec force.

— Oh non, je ne crois pas ! C'était il y a plus d'un an, et Dan est sorti avec plusieurs autres femmes depuis.

— Y en a-t-il une qui pourrait savoir où il est passé ?

— Je ne sais pas. Je pourrais poser la question à James...

Mandy sembla hésiter, puis reprit :

— Le mieux serait que ce soit toi qui lui parles. Ce type me met mal à l'aise.

— Que veux-tu dire ?

— Il me drague chaque fois...

Elle frissonna comme si cette idée la révulsait.

Rafe sourit.

— Il a bon goût, en tout cas.

— Très drôle !

Comprenant qu'il ne parviendrait pas à dérider Mandy pour l'instant, Rafe se leva.

— Je vais récupérer mon sac, annonça-t-il. Dis-moi, est-ce que la cabane est utilisée ces temps-ci ? J'aimerais m'y installer, si tu n'y vois pas d'inconvénient.

La réponse de Mandy le figea sur place.

— La cabane a brûlé quelques mois après ton départ du ranch, annonça-t-elle d'une voix neutre.

Rafe fit brutalement volte-face.

— Que s'est-il passé ?

La jeune femme haussa les épaules.

— Un des employés y aura laissé traîner un mégot... Quand ils s'en sont aperçus, il était trop tard. La cabane était en flamme.

Rafe regarda pensivement par la fenêtre, mais ne fit aucun commentaire.

— Alors je vais m'installer dans un motel en ville, décida-t-il. D'ailleurs, il faut que je ramène la voiture de location que j'ai laissée à l'extérieur de la propriété. Il doit bien y avoir un véhicule du ranch que je puisse utiliser pendant mon séjour...

— Bien sûr, tu peux utiliser l'un des *pick-up*. Et tu peux aussi t'installer dans la chambre de Dan.

Rafe savait pertinemment qu'il ne parviendrait que difficilement à se concentrer s'il restait au ranch, avec Mandy dans les parages. Il avait besoin de prendre ses distances. Cependant, c'était sûrement au ranch qu'il trouverait la clé de la disparition de Dan...

— Que va dire Parker ? fit-il. Il ne va sans doute pas voir d'un bon œil le fait que toi et moi dormions sous le même toit !

— A qui la faute ! Tu n'as pas mis beaucoup du tien pour sympathiser avec lui...

— Mais il m'a agressé alors que j'avais le dos tourné, sans le moindre avertissement ! protesta Rafe.

— Tu sais parfaitement pourquoi.

— Je ne crois pas à vos explications. Il pouvait très bien se rendre compte que je ne faisais aucun effort pour me cacher. Je n'étais pas une menace. Je crois simplement qu'il ne veut pas qu'on te tourne autour. Il a dû penser qu'il parviendrait à me décourager de m'attarder dans le coin...

— Arrête un peu ! s'emporta Mandy. Tom ne s'intéresse pas à moi, pas plus qu'à ce ranch, d'ailleurs ! Vraiment, Rafe, je ne me rappelais pas que tu étais aussi cynique.

Il lui jeta un regard noir et sortit en claquant la porte derrière lui. Il traversa la cour, la tête baissée, regrettant déjà son comportement puéril.

Après tout, en quoi la nature de la relation entre Mandy et le contremaître du ranch le regardait-il ? Il n'y avait aucun rapport entre Mandy et les raisons qui l'avaient fait venir ici, il ferait bien de s'en souvenir !

— Vous cherchez quelque chose ?

Rafe s'immobilisa et se retourna avec lenteur.

Les mains sur les hanches, Parker se tenait à plusieurs mètres de lui. Il avait tout du bandit armé prêt à tirer sur sa proie.

— J'ai laissé mon sac là bas, expliqua Rafe en désignant du menton le buisson où il l'avait dissimulé. Je vais le récupérer. Cela vous pose un problème ?

Eludant la question, Parker en posa une à son tour.

— Combien de temps comptez-vous rester au ranch ?

Rafe se détourna et se mit à marcher vers le buisson, obligeant Parker à le suivre.

— Jusqu'au retour de Dan. Pourquoi ?

— Alors vous pensez qu'il est toujours vivant ?

Rafe se figea. Pourquoi diable tout le monde était-il aussi enclin à penser que Dan était mort !

— Pas vous ? répliqua-t-il.

Parker retira son chapeau et passa sa main dans ses cheveux en observant les collines qui entouraient le ranch.

— Je ne sais que penser, admit-il enfin. Dan n'a jamais disparu ainsi auparavant. S'il allait bien, il ferait son possible pour nous rassurer. Il doit bien se douter que nous sommes inquiets… Je crains qu'il ne lui soit arrivé quelque chose, je ne sais pas quoi.

— Parlez-moi de la piste d'atterrissage.

Parker le regarda avec perplexité.

— Que voulez-vous dire ?

— Lorsqu'un avion décolle ou atterrit, pouvez-vous l'entendre d'ici ?

— Parfois, quand le vent le permet.

— Avez-vous entendu un avion la nuit où Dan a disparu ?

— Je ne m'en souviens pas.

— Mandy m'a signalé que la jeep de Dan avait été retrouvée là-bas. J'imagine donc que c'est par avion qu'il a quitté le ranch… Ce qui me fait d'ailleurs penser que je dois ramener ma voiture de location. Quelqu'un peut-il m'accompagner jusqu'à Austin ?

Parker mit du temps à répondre.

— Je peux envoyer Carlos, dit-il enfin.

Rafe hocha la tête, conscient de la mauvaise volonté que Parker mettait à lui rendre service.

— Merci de votre compréhension, rétorqua-t-il d'un air narquois.

Il fouilla dans les branchages et en retira son sac de voyage. Lorsqu'il se releva, Parker n'avait pas bougé. Il l'observait avec une curiosité non dissimulée.

— Vous avez détourné les mesures de sécurité que j'avais mises en place, fit-il remarquer. Comment avez-vous fait pour parvenir jusqu'à la maison ?

— Je suis un professionnel, expliqua Rafe. Je suis spécifiquement entraîné par l'Etat américain pour pénétrer dans des endroits étroitement surveillés. Alors ne vous en faites pas, vos mesures de sécurité sont suffisantes pour dissuader toute autre personne que moi…

42

Sur ces mots, il tourna le dos à Parker qui le regarda s'éloigner, les sourcils froncés.

Rafe était parfaitement conscient de ses piètres qualités relationnelles, mais il n'en avait cure. Tout ce qui l'intéressait, c'était de découvrir ce qui était arrivé à Dan.

Mandy regarda Rafe partir en claquant la porte.

Elle était dans de beaux draps… Qu'allait-il se passer si elle ne parvenait pas à mieux contrôler ses réactions en sa présence ? Car il était clair que Rafe n'avait pas la moindre intention de quitter le ranch tant qu'il n'aurait pas élucidé le mystère de la disparition de Dan.

Elle aurait dû se sentir soulagée d'être secondée dans cette épreuve par quelqu'un d'aussi fiable. C'était peut-être l'occasion de rentrer chez elle, après tout. Elle n'avait rien à faire au ranch, sa vie était à Dallas, elle pouvait très bien se tenir informée de là-bas…

Elle était accourue immédiatement lorsque Tom lui avait appris la disparition de Dan, pensant que s'il réapparaissait, ce serait forcément au ranch. Elle avait cru que cela l'aiderait de se trouver là où on avait vu son frère pour la dernière fois.

Malheureusement, avec l'arrivée de Rafe, ses nerfs étaient mis à rude épreuve. La preuve, ils ne pouvaient se trouver dans la même pièce sans se disputer !

C'était ridicule ! En général, elle s'entendait plutôt bien avec les gens… Mais Rafe semblait délibérément la chercher avec ses remarques ironiques. Et comme si son attitude n'était pas suffisamment agaçante, il avait même été à deux doigts de l'embrasser. Dans ses yeux, elle avait cru lire quelque chose qui avait fait accélérer son rythme cardiaque… Pourtant, Rafe s'était ensuite détourné comme si rien ne s'était passé. S'était-elle trompée ?

Quoi qu'il en soit, elle avait été profondément troublée par ce rapprochement et avait senti resurgir les sentiments ardents qu'elle éprouvait pour Rafe McClain quand elle était une toute jeune fille.

Ses pensées revinrent vers cette période déjà lointaine. Alors qu'elle avait quinze ans et qu'elle venait de tomber amoureuse pour la première fois de sa vie :

Elle avait attendu impatiemment le grand barbecue destiné à fêter le baccalauréat des garçons. Après plusieurs semaines de préparation fiévreuse, le jour J était enfin arrivé ! Pour l'occasion, elle avait eu la permission de choisir la robe de ses rêves : une robe rose, à bretelles, qui moulait à merveille sa taille fine et tombait dans une nuée de volants sur ses jambes.

Elle se contempla une dernière fois dans le miroir… Elle n'avait plus l'air d'une enfant. Dans cette robe, elle était tout simplement une femme. Une femme attirante. Diablement séduisante, même ! Elle s'approcha du miroir, sourit lentement à son reflet et cilla, surprise de la sensualité qu'elle dégageait. Elle avait l'impression de ne plus se connaître.

Elle tapota ses cheveux remontés en chignon, s'envoya un baiser et sortit de sa chambre. Elle ralentit en arrivant dans le patio. La nuit n'avait jamais été aussi belle, les étoiles scintillaient de mille feux dans le ciel de velours noir.

Mandy ferma les yeux et inspira profondément.

Une piste de danse avait été installée sur la pelouse entourée de grands chênes. Les lampions colorés accrochés aux branches accentuaient le caractère festif de la scène. Bientôt, les invités arriveraient, amenant qui un plat, qui une salade ou un gâteau. Les amis, les voisins et tous les diplômés de la commune ainsi que leur famille avaient été conviés. Mandy se demandait si elle aurait droit aux mêmes réjouissances dans trois ans, lorsqu'elle aussi obtiendrait son bac... Si tel était le cas, elle espérait que Dan et Rafe seraient de la partie.

Rafe avait mentionné l'éventualité de s'enrôler dans l'armée, mais Dan souhaitait qu'il reste au ranch et entre en même temps que lui à l'université. Il y avait possibilité d'obtenir une bourse, disait-il... Au vu de ses notes excellentes, Rafe avait toutes les chances d'en décrocher une.

Mandy, elle non plus, n'avait aucune envie que Rafe s'en aille. Son père lui avait promis que, lorsqu'elle aurait seize ans, il lui permettrait de sortir seule avec un garçon. Pour l'instant, elle ne sortait qu'en groupe, et Dan était de préférence présent. Mais quand elle aurait seize ans, elle espérait bien que Rafe lui proposerait de sortir avec lui !

Bien entendu, il ne se doutait pas le moins du monde de l'intérêt qu'elle lui portait. Elle faisait d'ailleurs en sorte que personne n'en sache rien... Si Dan venait à se douter de quelque chose, il s'amuserait à lui pourrir la vie et à la mettre dans l'embarras à la moindre occasion !

Mandy s'éloigna de la zone éclairée par les lampions afin de pouvoir contempler la voûte étoilée. Elle adorait vivre dans ce ranch, loin des lumières de la ville. Elle avait l'impression d'appartenir à cette terre...

De là où elle se trouvait, elle vit Dan et Rafe sortir de la maison. Ils avaient l'air de vrais hommes dans leurs beaux costumes. Rafe avait choisi un costume beige qui mettait en valeur sa peau hâlée, Dan un costume sombre.

Ces deux-là avaient des goûts et des personnalités totalement opposés, mais ils étaient aussi proches que des frères, jamais ils ne se disputaient. Dan avait été l'arrière de l'équipe de foot du lycée au cours de ces deux dernières années. Comme les entraînements lui prenaient du temps, Rafe s'était chargé d'effectuer au ranch le travail qui lui était affecté. Il ne s'en était jamais plaint. Il ne s'intéressait pas du tout au sport.

Très solitaire, il semblait préférer sa propre compagnie à celle des autres.

Il ne serait sans doute même pas venu au barbecue si leur mère n'avait pas insisté, expliquant que la fête était donnée en l'honneur des deux garçons à la fois.

Mandy avait l'impression de ne s'être jamais autant amusée de sa vie : tous les copains de Dan semblaient s'être soudainement rendu compte de son existence et l'invitaient à tour de rôle à tournoyer sur la piste. Elle vivait un rêve éveillé. C'était sans doute à cause de sa robe... Elle adorait qu'on fasse attention à elle.

Et Rafe, ne l'avait-il pas remarquée lui aussi ?

Elle regarda autour d'elle et le vit au milieu d'un groupe dans lequel se trouvait son père. Prenant son courage à deux mains, elle marcha dans leur direction et, devant son père et les autres, s'adressa à lui tout de go :

— Alors, Rafe, quand est-ce que tu m'invites à danser ?

Le garçon rougit jusqu'aux oreilles, tandis que les hommes s'esclaffaient.

— Pourquoi pas maintenant ! répondit-il d'une voix rauque.

Et il lui tendit la main.

Mandy ne pouvait y croire. Rafe allait danser avec elle !

Elle lui prodigua son plus beau sourire, celui qu'elle s'entraînait à faire devant sa glace, et prit la main qu'il lui tendait. Elle était chaude, ce qui n'était pas surprenant puisqu'il faisait encore près de 20°C, même à 22 heures !

— Pourquoi n'enlèves-tu pas ta veste ? demanda-t-elle comme ils commençaient à suivre le rythme lent de la musique.

Rafe observa les autres représentants de la gent masculine qui dansaient autour d'eux.

— Je ne sais pas... Je croyais que j'étais censé la porter toute la soirée.

— Mais non ! Dan a retiré la sienne un quart d'heure après le début de la fête !

Il sourit.

— Toi, tu ne dois pas avoir chaud, avec tes épaules nues. Tu sais, cette robe te fait paraître beaucoup plus âgée…

C'était exactement ce qu'elle avait envie d'entendre !

— Merci, fit-elle en se rengorgeant.

Elle prit une profonde inspiration et reprit :

— Je te trouve superbe dans ce costume, Rafe. Je ne t'avais jamais vu porter ce genre de tenue auparavant.

— Pour sûr ! Et tu n'es sans doute pas près de me revoir habillé comme ça !

Il la lâcha et entreprit de déboutonner les premiers boutons de sa chemise.

— J'ai l'impression d'être dans une camisole de force !

— Alors tu ne vas pas entrer dans l'armée, finalement ! s'exclama-t-elle. Tu sais que les soldats s'habillent très strictement.

— Tu n'as pas tort… En fait, je crois que je vais rester dans le coin. Comme Dan m'y a incité, j'ai posé ma candidature pour entrer à l'université du Texas à San Marcos. Je ne l'ai dit à personne, parce que je n'étais pas sûr d'être accepté… Mais ça a marché, je viens de l'apprendre. C'est suffisamment proche pour que je puisse continuer à vivre au ranch et à y travailler…

— Oh, Rafe, c'est merveilleux ! s'exclama Mandy. Je suis tellement fière de toi !

Un sourire éclaira le visage sombre du jeune homme. Il souriait si rarement que Mandy en ressentit un plaisir fou.

— Bon, ce n'est pas Harvard, mais c'est une bonne université. Je suis impatient de commencer les cours.

— Dan est bête de vouloir aller à Harvard, décréta-t-elle. Il devrait plutôt aller à l'université A & M du Texas. Après tout, il va devoir diriger ce ranch un jour ou l'autre ! Il ferait mieux d'apprendre comment on s'y prend, plutôt que d'aller suivre de stupides cours de commerce !

— Dan sait ce qu'il veut. Et puis ton père nous a déjà beaucoup appris sur le ranch...

— Alors peut-être en deviendras-tu le contremaître ! s'écria Mandy. Ce serait super, n'est-ce pas ?

— Je ne sais pas... Après mes études, j'ai bien l'intention de partir voir du pays !

— Tu m'emmèneras avec toi ? demanda-t-elle effrontément.

Rafe éclata de rire et la fit tournoyer de plus belle sur la piste. Lorsqu'il répondit à sa question, elle fut déçue de l'entendre dire :

— Je ne crois pas que tu aimerais voyager de la façon dont je l'envisage...

Elle pencha la tête de manière à voir ses yeux.

— Et pourquoi cela ?

— Je compte m'embarquer sur un cargo et travailler pour payer la traversée. Je veux visiter des pays étrangers, apprendre à parler d'autres langues et découvrir de nouvelles cultures.

— Mais ça m'intéresse, moi aussi !

— Les filles ne peuvent pas faire ça. C'est trop dangereux...

— Peut-être..., mais tu serais là pour me protéger !

La première chanson venait de se terminer et une autre enchaîna aussitôt.

Mandy soupira et se rapprocha de Rafe. Celui-ci la serra contre lui.

— Tu es si charmante. Te l'a-t-on déjà dit ?

Mandy était si proche de Rafe qu'elle pouvait sentir les battements précipités de son cœur. Elle aimait être aussi près de lui. C'était comme si leurs deux corps avaient été conçus pour s'assembler parfaitement.

Rafe fit descendre sa main le long de son dos, jusqu'à sa taille, puis il l'entraîna dans une série de pas effrénés.

— Tu es un bon danseur, murmura-t-elle, essoufflée. Le meilleur avec qui j'aie dansé ce soir…

— On a appris à danser, au lycée, expliqua-t-il. Finalement, c'est amusant quand on connaît les pas.

— Quand je serai plus vieille, tu m'emmèneras danser à Austin ?

— Bien sûr, si je suis encore dans le coin.

Mandy posa sa tête sur l'épaule de Rafe, et ils continuèrent à danser ensemble sans voir le temps passer. Les invités commencèrent à prendre congé. Elle entendait le claquement des portières, le vrombissement des moteurs, mais rien ne parvenait à entacher la perfection de ce qu'elle ressentait, à danser ainsi avec Rafe sous le ciel étoilé de cette magnifique nuit d'été.

Soudain, elle entendit sa mère l'appeler. Il lui fallait aider au rangement. Rafe et elle se mirent alors au travail, ramassant les cendriers, rapportant la nourriture à l'intérieur de la maison. Quand elle eut terminé, elle regarda autour d'elle.

Rafe avait disparu.

Il était parti sans lui dire au revoir, sans lui donner un baiser de « bonne nuit ».

Pourtant, elle s'était bien rendu compte qu'il avait envie de l'embrasser pendant qu'ils dansaient. Et elle avait compris aussi qu'il ne tenterait rien devant tout le monde…

Elle n'avait pas envie que cette nuit se termine ainsi. Il y avait dans l'air quelque chose de magique, et elle voulait partager cet instant avec quelqu'un de particulier.

Avec Rafe.

Elle chercha le garçon dans la maison, mais il n'était pas avec Dan. Alors elle décida de se rendre à la cabane où il vivait.

Elle arriva à la cabane à bout de souffle. Son audace était la principale cause de sa fébrilité : elle savait pertinemment que ses parents n'apprécieraient pas de la trouver ici. Mais elle n'en avait cure. Elle, elle savait pourquoi elle était ici ! Il n'était pas question qu'elle aille se coucher sans revoir Rafe...

Il y avait de la lumière dans la cabane.

Elle sourit intérieurement. Il était là ! Prenant son courage à deux mains, elle frappa à la porte, le cœur battant la chamade.

— Qui est là ?

— C'est Mandy.

Dans son impatience, elle eut l'impression que Rafe tardait à ouvrir la porte.

Quand elle se retrouva face à lui, elle vit qu'il avait retiré sa veste et sa cravate et que sa chemise ouverte dévoilait son torse nu. Il était debout devant elle, pieds nus, visiblement sur le point de se coucher. C'était le plus bel homme qu'il lui ait été donné de contempler !

Il la regarda, incrédule.

— Que fais-tu ici ?

— Tu as disparu sans même me souhaiter bonne nuit ! lui reprocha-t-elle.

— Oh ! Désolé... Bonne nuit.

Il fit mine de refermer la porte.

Mandy posa sa main sur le battant et, le poussant, pénétra dans la cabane.

— Je voulais aussi te donner mon cadeau, pour ton diplôme...

Rafe la fixa comme si elle était devenue folle.

— Mais tu me l'as donné ce matin, Mandy. Souviens-toi, le portefeuille !

Elle sourit.

— Je pensais à quelque chose d'un peu plus… personnel.

Elle s'approcha de lui et passa ses bras autour de son cou.

— Je voulais te donner un baiser de félicitations, chuchota-t-elle en posant ses lèvres sur les siennes.

La bouche du jeune homme lui sembla douce et chaude. Quand elle resserra l'étreinte de ses bras, Rafe retint son souffle. Etait-ce le choc, la surprise ? Mandy n'aurait su le dire.

Il posa ses mains sur sa taille comme s'il voulait la repousser… Ce qu'il ne fit pas. Non, il se mit à lui rendre son baiser. Doucement, sensuellement…

Mandy était aux anges. Tous ses rêves prenaient corps. Enfin, elle était dans les bras de Rafe, elle l'embrassait. Et ce qui était encore mieux que dans ses rêves, c'était que lui aussi l'embrassait !

Il la maintint contre lui et tangua sur place avec elle, comme un peu plus tôt, lorsqu'ils dansaient ensemble. Il lui mordilla l'oreille puis descendit le long de son cou pour revenir à ses lèvres. Elle sentait les battements du cœur du jeune homme contre sa poitrine.

— Oh, Mandy ! Tu me rends fou, murmura Rafe contre ses lèvres. Je te désire tellement. Mais tu es trop jeune, je ne peux pas.

Il grogna et l'embrassa de nouveau, la tenant si étroitement serrée contre lui qu'elle sut exactement à quel point il la désirait. Plutôt que de lui faire peur, cette certitude la conforta dans sa folie. L'attirance qu'elle éprouvait pour Rafe n'était pas si absurde, puisqu'elle était partagée !

Ses mains abandonnèrent le cou de Rafe pour venir frôler sa poitrine nue. Le jeune homme frissonna à ce contact et, de sa langue, l'incita à entrouvrir les lèvres. Mandy eut l'impression qu'il prenait possession d'elle. Ce baiser était un vœu silencieux qu'ils échangeaient. Elle lui appartenait.

— Mandy !

Elle se dégagea et se tourna vers la porte laissée ouverte : sur le seuil, son père, les poings sur les hanches, les foudroyait du regard.

Rafe laissa retomber ses bras et recula.

Mandy comprit ce que la scène devait avoir de choquant : si elle-même était tout habillée, Rafe, lui, était à demi dévêtu. Cela pouvait suffire pour que son père lui prête des intentions qu'il n'avait pas.

— Que fais-tu, Rafe ! hurla celui-ci en pénétrant en trombe dans la cabane.

Le visage de Rafe ne changea pas d'expression. Il regarda Mandy, puis son père, et déclara enfin avec le plus grand calme :

— J'embrassais votre fille.

— Ote tes sales pattes de Mandy, tu m'entends ? rugit Art Crenshaw. C'est en séduisant ma fille que tu me remercies de t'avoir donné un toit et du travail ?

Rafe observa son interlocuteur silencieusement.

— J'avais pourtant l'impression d'avoir honnêtement gagné tout ce que j'ai reçu dans ce ranch, monsieur Crenshaw, rétorqua-t-il.

— Si tu crois que tu as gagné le droit de peloter ma fille, tu te trompes ! Je t'ai donné une chance de faire quelque chose de ta vie. C'est ça, ce que je t'ai donné ! Tu peux t'estimer heureux de ne pas avoir passé les quatre dernières années dans la rue !

Il se tourna vers elle.

— Rentre à la maison, Mandy ! Ta mère veut te voir.

Mandy aurait voulu parler, expliquer que ce n'était pas de la faute de Rafe si elle était ici. Oui, mais elle n'avait jamais vu son père dans une telle colère auparavant, et elle prit peur. Paniquée, elle sortit de la cabane en courant, espérant qu'une fois calmé, son père accepterait de l'écouter. Elle lui expliquerait que Rafe ne l'avait pas invitée dans sa cabane. Qu'elle y était venue de son plein gré !

Mais ses tentatives d'explications ne changèrent rien. Rafe quitta le ranch cette nuit là, et jamais plus elle ne le revit.

Jusqu'à la nuit dernière…

5.

Mandy sortit de la maison et regarda autour d'elle. Pas de Rafe en vue… En revanche, elle aperçut Tom qui s'affairait près des corrals. Elle le rejoignit.

— Auriez-vous vu Rafe, par hasard ? l'interrogea-t-elle.

Tom posa son chapeau sur sa tête avant de répondre.

— Carlos et lui sont partis en ville, annonça-t-il.

— Oh oui, c'est vrai ! Ils sont partis ramener la voiture.

— Oui.

Tom s'appuya sur la clôture et l'observa.

— Connaissez-vous bien ce type ? s'enquit-il enfin.

Tout de suite, Mandy se hérissa.

— Que voulez-vous dire ?

— Vous l'avez présenté comme un ami de la famille, alors je m'étonne de ne jamais l'avoir vu, ni en avoir jamais entendu parler…

— Rafe a vécu au ranch il y a de cela une dizaine d'années. Quand nous étions au lycée…

— Et qu'est-il devenu depuis ?

— Je n'en sais rien.

— Alors pourquoi lui faites-vous confiance ?

— Parce que Dan lui faisait confiance. Si mon frère lui a écrit pour lui demander de revenir au ranch, cela suffit à me convaincre.

54

Le visage de Tom exprima sa suspicion.

— Avez-vous vu cette lettre ?

Mandy sourit.

— Croyez-vous que Rafe pourrait mentir à ce sujet ?

— Comment le saurais-je ! s'impatienta-t-il. C'est pour ça que je vous en parle ! Ce type pourrait être impliqué dans la disparition de Dan !

Mandy hocha lentement la tête :

— Je ne peux pas vous blâmer… Vous ne le connaissez pas, après tout.

Elle s'appuya elle aussi à la clôture, à côté de Tom.

— Rafe est la raison pour laquelle je travaille pour les services sociaux d'aide à l'enfance, expliqua-t-elle. Il n'en sait rien, ceci dit, et je ne suis pas sûre que ça l'intéresserait… Toujours est-il que lorsque j'y réfléchis, je me rends compte qu'il a influencé ma vie plus que toute autre personne. Peut-être d'ailleurs que jusqu'à aujourd'hui, je ne m'en étais pas vraiment rendu compte.

Tom haussa les sourcils.

— Comment ce Rafe McClain a-t-il eu une influence sur votre carrière professionnelle ?

— La famille de Rafe le maltraitait. Alors, à l'âge de quatorze ans, il s'est enfui et s'est réfugié au ranch. Heureusement, il a pu s'en tirer en travaillant dur, ici et à l'école. Quand j'ai été en âge de travailler, j'ai décidé que je souhaitais aider les enfants qui, comme lui, avaient un départ difficile dans la vie.

Mandy repoussa une mèche qui lui tombait sur le front et soupira :

— Je ne savais pas que mon frère et lui étaient restés en contact tout ce temps… Dan ne m'en a pas parlé une seule fois ! Jamais je n'aurais cru revoir Rafe. Cela a été un choc de le découvrir ici, au beau milieu de la nuit !

— Ça a été un choc pour moi aussi, renchérit Tom. Moi qui croyais que les mesures de sécurité que j'avais mises en place étaient infaillibles ! Cela m'a contrarié de savoir que, finalement, vous étiez aussi peu protégée.

— Ne vous faites pas autant de souci, le rassura-t-elle. Ranger a bien fait son travail. Il aurait empêché quiconque de pénétrer dans la maison si je ne l'avais pas rassuré après avoir reconnu Rafe. Vous l'avez bien dressé.

— Ouais… Dommage que Dan n'ait pas eu Ranger avec lui cette nuit-là. Les choses auraient peut-être été différentes.

— Attendons de voir ce que Rafe va découvrir, dit-elle. J'ai l'intuition que si quelqu'un peut retrouver Dan, c'est lui !

Sur ces mots, elle retourna dans la maison se servir une tasse de café.

Il allait falloir qu'elle se fasse à l'idée du retour de Rafe avant de se retrouver de nouveau face à lui. Elle avait du mal à réaliser que cet homme venait de refaire irruption dans sa vie aussi subitement qu'il en avait disparu. Sa présence la replongeait dans des souvenirs si douloureux…

Cette fameuse nuit, elle était retournée à la maison en larmes. Sa mère l'attendait dans la cuisine.

— Assieds-toi, Amanda, lui avait-elle enjoint. Tu étais avec Rafe, n'est-ce pas ?

Mandy acquiesça. Sa mère lui tendit un mouchoir.

— Tu n'aurais pas dû.

— Mais maman, nous ne faisions rien de mal ! tenta-t-elle d'expliquer. Je te le jure ! Je… je voulais juste lui souhaiter bonne nuit, et…

Elle s'interrompit. Comment pourrait-elle avouer à sa mère qu'elle avait eu envie d'embrasser Rafe… Celle-ci ne le comprendrait jamais !

— Tu n'avais rien à faire là-bas, insista Amelia Crenshaw.

— Papa lui a dit des choses horribles, sanglota Mandy. C'était comme s'il l'accusait d'avoir fait quelque chose de mal, alors que c'est faux !

Son désarroi laissait place peu à peu à la colère.

— Rafe n'a rien fait ! reprit-elle. C'est moi qui suis allée le voir. Il ne m'y a pas incitée.

— Alors c'est toi qui l'as mis dans cette situation.

— Oui, mais je ne le voulais pas. Et maintenant, papa est en colère contre lui et c'est ma faute !

Sanglotant toujours, Mandy enfouit sa tête entre ses bras repliés sur la table.

Sa mère lui pressa l'épaule.

— Tu sais que ton père est très protecteur à l'égard de ses enfants… Je lui parlerai. Cela va s'arranger, ne t'inquiète pas.

Hélas, les choses ne s'arrangèrent pas : Rafe quitta le ranch en pleine nuit.

Lorsqu'elle apprit ce départ, Mandy en fut bouleversée et rongée de culpabilité : par sa faute, Rafe avait été chassé de l'endroit où il comptait habiter pendant ses études universitaires !

Dan, lui aussi sans nouvelles de Rafe, se montra très dur envers elle. Il l'accusa de s'être conduite de façon stupide. Selon lui, elle ne méritait même pas d'avoir Rafe pour ami.

Pensait-il toujours la même chose, après toutes ces années ? Etait-ce la raison pour laquelle il ne lui avait jamais révélé être resté en contact avec Rafe ?

Le retour de celui-ci faisait resurgir chez elle ces sentiments de honte et de culpabilité si familiers. Il l'incitait également à se demander pourquoi elle avait rompu ses fiançailles et ne s'était jamais permis de devenir intime avec un autre homme…

Au plus profond d'elle-même, elle se jugeait sans doute indigne d'entretenir une relation avec quelqu'un. N'avait-elle pas empêché le premier homme qu'elle avait aimé d'aller à l'université ? Ne l'avait-elle pas chassé du seul endroit stable où il pouvait vivre ?

Mandy se frotta le front. Elle n'avait jamais réalisé tout cela au cours des années passées : sans s'en rendre compte, depuis cette terrible nuit, elle avait donné à Rafe le pouvoir de gouverner sa vie. Elle lui avait donné bien trop de pouvoir...

Mandy soupira en regardant sa tasse vide.

Elle avait déjà des raisons de s'inquiéter avec la disparition de Dan, et il allait maintenant falloir gérer la présence de Rafe. Elle n'avait qu'une envie : fuir ! Retourner à Dallas et attendre qu'on lui donne des nouvelles de Dan.

Mais elle se souvint qu'elle n'avait plus quinze ans. Elle était une adulte et allait devoir faire face à la situation dans laquelle elle se trouvait, aussi contrariante soit-elle.

Rafe revint au ranch en milieu d'après-midi.

Mandy traversa aussitôt la cour à sa rencontre.

— Je t'attendais, lui dit-elle. Je peux t'emmener jusqu'à la piste d'atterrissage en jeep, si tu veux.

— Où est Tom ?

— Etant donné la façon particulièrement chaleureuse dont tu l'as traité ce matin, railla-t-elle, Tom était très déçu de ne pouvoir passer plus de temps avec toi, mais il a dû se résigner à se mettre au travail. Dommage ! Nul doute que vous seriez devenus les deux meilleurs amis du monde !

Rafe l'étudia sans mot dire pendant quelques secondes.

— Je ne me souvenais pas que tu pouvais être aussi sarcastique...

— Je m'étonne que tu te souviennes ne serait-ce que de mon existence, répliqua-t-elle en plantant son regard dans le sien.

— Hmm, fit Rafe en soutenant son regard.

Mandy baissa les yeux et sentit ses joues s'empourprer.

— Allons-y ! dit-elle en esquissant un mouvement vers la jeep.

Rafe lui emboîta le pas et prit place sur le siège du conducteur.

Elle n'en fut pas surprise : c'était un homme déterminé à tout contrôler... Elle avait conscience qu'elle aurait dû lui rappeler qu'il n'était pas responsable d'elle, cependant elle devait choisir ses batailles, et conduire la jeep n'était pas l'une de ses priorités.

En chemin, elle ne parla que pour lui indiquer la route à suivre. Rafe, lui, ne disait rien. Il observait attentivement le terrain.

Le chemin qui menait à la piste semblait avoir été très pratiqué, ce qui surprit Mandy. Elle ne savait pas que Dan utilisait aussi fréquemment l'avion comme moyen de transport.

Lorsqu'ils arrivèrent dans la zone stratégique, Rafe gara la jeep à l'ombre d'un arbre. Il coupa le moteur, mais ne descendit pas du véhicule. Mandy resta assise elle aussi, écoutant les cliquetis du moteur qui refroidissait.

— Depuis combien de temps cette piste existe-t-elle ? demanda Rafe, rompant enfin le silence.

— A peu près quatre ans.

— Pourquoi a-t-elle été construite ?

— Au départ, Dan voulait acquérir un avion. Mais en fait, considérant les frais d'entretien, le hangar à construire pour garer l'avion etc., James et lui ont finalement décidé d'en louer un de manière ponctuelle.

— Je dois absolument parler à ce James, murmura Rafe.

— Je te souhaite bon courage. Ceci dit, tu parviendras peut-être à en obtenir plus que moi. Il a pris toutes mes questions tellement à la légère !

Pendant qu'ils parlaient, Rafe ne cessait d'étudier les alentours.

— Je n'étais jamais venu dans cette partie du ranch, fit-il remarquer. Ton père ne s'en servait pas beaucoup…

— En effet. Papa ne menait pas le bétail par ici en raison du terrain accidenté. Surtout là-bas…

Elle pointa le menton vers l'ouest.

— C'est donc là que la jeep a été retrouvée, reprit Rafe.

— C'est ce que Tom a déclaré. Un de ses hommes avait déjà ramené le véhicule au ranch quand je suis arrivée. Il n'y avait aucune raison de le laisser…

— Sauf si Dan était revenu par avion et avait eu besoin de sa jeep pour rentrer au ranch.

— Mais elle est restée ici près d'une semaine ! Il aurait appelé.

— Peut-être…

— Tu sais où il est, c'est ça ?

Rafe contempla Mandy, l'air incrédule.

— Mais pas du tout ! Pourquoi crois-tu cela ?

— Ton expression est tellement sombre !

Il remua sur son siège et ajusta son chapeau.

— Je n'aime pas ce que je vois, c'est tout.

— Que veux-tu dire ?

— Nous ne sommes qu'à une poignée d'heures de vol de la frontière mexicaine. Cette zone perdue est l'endroit idéal pour atterrir ou décoller sans que personne ne s'en rende compte.

Il jeta un regard circulaire.

— Y a-t-il un autre chemin pour arriver jusqu'ici que celui que nous venons d'emprunter ?

— Non. C'est le seul.

— C'est bon à savoir…

Mandy réfléchissait aux paroles de Rafe.

— Crois-tu que Dan a pu être impliqué dans une histoire de contrebande ?

— J'espère que non, mais nous ne pouvons exclure cette hypothèse. Tu dois admettre que c'est l'endroit rêvé pour quiconque se livrerait à un trafic de drogue, de clandestins ou même d'armes avec le Mexique.

— Dan ne ferait jamais une chose pareille, tu le sais parfaitement !

— Les gens changent, Mandy ! Effectivement, le Dan que je connaissais ne ferait jamais cela, mais sa disparition jette le trouble dans mon esprit.

— Ce site était peut-être utilisé sans que mon frère soit au courant, avança-t-elle. Peut-être qu'il est tombé par hasard sur des contrebandiers et que ceux-ci l'ont enlevé !

Rafe la regarda attentivement.

— Est-ce pour cela que tu penses que Dan est mort ? s'enquit-il.

— Oh Rafe ! J'ai envisagé toutes les possibilités, tu sais, et j'en reviens toujours à la même conclusion : si Dan était vivant, nous le saurions maintenant…

Il lui prit la main.

— Mandy, j'espère de tout cœur que tu te trompes, mais je te promets une chose : je vais découvrir ce qui est arrivé à Rafe, et, crois-moi, les personnes responsables de sa disparition devront payer !

Il fit redémarrer le moteur avant d'ajouter :

— Qui, en dehors de Dan et de son associé, connaît l'existence de cette piste ?

— Tom pourrait te renseigner…, James également.

Rafe manœuvra la jeep pour faire demi-tour.

— Je leur parlerai à tous les deux. Demain à la première heure, je viendrai explorer la zone accidentée qui entoure cette piste. On peut y dissimuler toutes sortes de choses. En fait, j'envisage même de camper ici un jour ou deux…

— Je viens avec toi ! s'écria Mandy.

Rafe sourit.

— Sûrement pas. Personne ne doit savoir que je serai là-bas. Il faut être très entraîné pour ne pas se faire remarquer…

— Je veux faire quelque chose pour aider !

— Alors arrange-toi pour que Tom et ses hommes ne viennent pas traîner dans cette zone. Certains d'entre eux ne sont peut-être pas si innocents.

— Tu crois que Dan a été kidnappé ?

— C'est une possibilité.

— Mais dans ce cas, nous aurions déjà reçu une demande de rançon !

— Pas si on le retient pour s'assurer de son silence.

— Alors, ils vont finir par le tuer et s'en débarrasser.

Comme il ne répondait pas, Mandy comprit qu'elle venait d'exprimer à haute voix leur plus grande crainte à tous les deux.

Rafe engagea la jeep sur le chemin du retour.

— Fais-moi une faveur, dit-il en arrivant au ranch.

— Laquelle ?

— Appelle James Williams. Je veux le rencontrer.

Mandy jeta un coup d'œil à sa montre.

— Il doit être au bureau à cette heure-ci.

— Assure-t-en. Allons le voir… maintenant !

Mandy obtempéra. Elle n'eut aucun mal à entrer en contact avec James.

— Alors, comment va ma femme préférée ? s'exclama James à l'autre bout du fil.

A ces mots, elle grimaça.

— Bonjour, James, se contenta-t-elle de dire. Je me demandais si je pouvais passer te voir dans l'après-midi…, si cela ne te dérange pas.

— Chérie, j'ai toujours du temps pour toi, tu le sais bien ! Pourquoi ne dînerions-nous pas ensemble ? Nous pourrions nous faire livrer chez moi et…

— James, l'interrompit Mandy, je… je veux te présenter quelqu'un.

Il y eut un silence.

— Quelqu'un ? répéta James. Un homme ?

Sa voix était devenue glaciale.

Mandy jeta un coup d'œil à Rafe qui ne pouvait entendre les propos de James. Elle hésita.

Peut-être était-ce le bon moyen de décourager James sans trop se compromettre…

— Rafe et moi, cela fait longtemps, répondit-elle finalement, laissant à James le soin d'interpréter ses paroles.

Elle vit que Rafe tentait de dissimuler un sourire. Lui trouvait la situation amusante, mais elle détestait la façon dont James la traitait.

— Dans ce cas, passez me voir à mon bureau, répondit froidement celui-ci.

— Très bien. Nous y serons dans une heure.

Elle raccrocha, pensant que Rafe allait faire un commentaire, mais il ne dit rien.

— Dépêchons-nous, fit-il simplement. On va essayer d'échapper aux embouteillages de l'heure de pointe.

Ils roulèrent jusqu'à Austin sans prononcer une parole.

Mandy se rendait compte qu'elle s'habituait peu à peu aux silences de Rafe.

Le garçon qu'elle avait connu était déjà très calme, mais, à l'époque, elle-même parlait pour deux ! Aujourd'hui, elle découvrait qu'elle avait peu de choses à dire à l'homme que

Rafe était devenu. Pour être honnête, elle devait admettre qu'il l'intimidait par sa nouvelle assurance.

Une chose était sûre, c'était un homme qu'elle préférait avoir de son côté plutôt que contre elle !

Elle lui indiqua le chemin pour se rendre à l'usine que Dan et James avaient montée sept ans auparavant.

DSC Corporation se composait d'un grand entrepôt et de bureaux à l'avant du bâtiment. Le parking pour les employés était rempli d'automobiles dernier cri. A première vue, l'entreprise respirait l'efficacité et le succès.

— Quels arrangements Dan avait-il pris pour la société, au cas où il arriverait quelque chose à l'un des associés ? demanda Rafe.

— Je n'en ai pas la moindre idée.

Rafe sortit du véhicule et en fit le tour pour l'aider à descendre. Elle fut surprise par sa courtoisie, puis se souvint qu'il s'était toujours montré galant envers elle et sa mère. Cependant, cette politesse n'allait pas avec l'image générale qu'il renvoyait.

Dès qu'elle eut mis le pied à terre, elle retira sa main de celle de Rafe et s'éloigna de lui.

Rafe retint un sourire.

Elle avait un instinct très sûr ! Si elle savait à quel point il avait envie de la prendre dans ses bras et de la serrer contre lui, elle se montrerait encore plus méfiante !

Il avait perçu la nervosité de Mandy mais ne savait à quoi l'attribuer. Etait-ce sa présence qui la mettait mal à l'aise ? Ou était-ce l'appréhension de la visite qu'ils s'apprêtaient à faire ?

Délibérément, il posa sa main au creux du dos de la jeune femme et la guida jusqu'à la porte d'entrée de la société.

La réceptionniste les accueillit en souriant :

— Bonjour, mademoiselle Crenshaw. Monsieur Williams vous attend.

Puis elle jeta un regard hésitant à Rafe.

Il lui sourit d'un air rassurant et la vit rougir en réponse et baisser la tête sur ses dossiers.

— Entrez ! fit une forte voix masculine comme Mandy frappait à la porte.

Mandy pénétra dans le bureau et il y entra à sa suite.

James Williams se leva pour les accueillir. De taille moyenne, la trentaine, il était mince et portait un costume manifestement fait sur mesure. Toute sa personne irradiait la réussite professionnelle.

— James, je te présente Rafe McClain, dit Mandy. Rafe, Dan et moi avons grandi ensemble… Rafe, voici James Williams, l'associé de Dan.

Williams fit le tour de son bureau.

— Enchanté de vous rencontrer, Rafe. Tous les amis des Crenshaw sont automatiquement les miens !

James Williams avait un regard qui semblait scruter son interlocuteur comme pour mieux le percer à jour.

Rafe serra la main qu'il lui tendait, en nota la ferme pression, mais n'y répondit pas. Il regarda l'homme se tourner vers Mandy : son sourire se fit plus intime.

— Cela me fait plaisir de te voir, Mandy, dit-il en lui prenant la main.

La jeune femme s'éclaircit la gorge.

— Rafe souhaiterait s'entretenir avec toi de la disparition de Dan.

Le sourire de Williams s'évanouit.

— Mais pourquoi t'inquiètes-tu autant, Mandy ? s'impatienta-t-il. Dan a déjà fait de longs voyages par le passé. Je t'ai déjà expliqué mon point de vue !

— Alors expliquez-le-moi aussi, si cela ne vous dérange pas, intervint Rafe dans son dos.

A son ton déterminé, leur interlocuteur se raidit et s'éloigna de Mandy non sans réticence.

— Si votre petite visite doit durer, pourquoi ne pas nous asseoir ?

« Visite », nota Rafe en son for intérieur. Plus poli qu'« interrogatoire », sans doute, mais il savait parfaitement que Williams ne considérait pas leur présence comme une rencontre amicale !

Une fois installé derrière son bureau, celui-ci croisa les bras et s'adressa à lui, presque sur le ton de la confidence :

— J'ai fait de mon mieux pour rassurer Mandy et lui prouver qu'il n'y a pas de quoi se faire de souci pour Dan. Je suis certain qu'il...

— Quand lui avez-vous parlé pour la dernière fois ? l'interrompit Rafe brusquement.

Williams rejeta la tête en arrière comme s'il avait reçu un coup. Il déglutit avant de poser son regard sur son calendrier.

— Je ne m'en souviens pas exactement...

— Hier ? insista Rafe. La semaine dernière ? Le mois dernier ?

Williams fronça les sourcils.

— Cela fait un peu plus d'une semaine.

Il se tourna vers Mandy :

— Rappelle-moi quand tu es arrivée ?

— Il y a dix jours. Trois jours exactement après que Dan a disparu.

Williams secoua la tête d'un air désolé.

— Mandy, je souhaiterais vraiment que tu cesses de parler de disparition ! Ce n'est pas parce que nous ignorons où Dan se trouve qu'il lui est arrivé quelque chose de fâcheux !

Rafe intervint :

— Mandy m'a expliqué que Dan vous donne habituellement de ses nouvelles lorsqu'il voyage. Là, il ne l'a pas fait, ce qui est plutôt troublant, vous en conviendrez. Je partage donc les craintes de Mandy et considère que la situation est suffisamment inquiétante pour être prise au sérieux.

Mandy posa les yeux sur lui.

— D'autant plus que tu as reçu…, commença-t-elle.

Il fit un geste bref de la tête qui la dissuada de continuer. Mais leur manège n'avait pas échappé à leur hôte.

— Vous avez reçu quelque chose ? s'enquit-il. De Dan ?

Rafe sourit tranquillement.

— Pas récemment…, Dan et moi ne sommes pas des correspondants très assidus.

Confortablement carré dans son fauteuil, il recommença à interroger Williams.

— Avez-vous l'agenda des rendez-vous de Dan ?

— Je crains que non. Comme il se déplace beaucoup, il le garde avec lui. Il ne vient pas souvent au bureau, alors nous communiquons principalement par téléphone.

— Si, comme vous le prétendez, Dan est en voyage d'affaires prolongé, avez-vous une idée de la personne qu'il est allé rencontrer ?

— Pas la moindre. Nous avons chacun notre zone d'activité bien déterminée, ce qui facilite les relations de travail. Ainsi, nous ne nous marchons jamais sur les pieds !

— A-t-il loué un avion ?

— Non. Il aurait fallu que je donne mon accord pour une telle dépense.

— Alors comment, selon vous, Dan a-t-il quitté le ranch ?

— Par avion, mais pas un avion de location. L'un de nos clients est sans doute venu le chercher. Ce ne serait pas la première fois…

— Vous faites-vous livrer au ranch Crenshaw des marchandises pour votre usine ?

Williams resta silencieux un peu trop longtemps pour ne pas éveiller les soupçons de Rafe.

— Parfois, admit-il. Rarement.

— Savez-vous si d'autres personnes utilisent la piste d'atterrissage ?

— Je ne le crois pas, mais je n'ai aucun moyen d'en être sûr.

Rafe ne quittait pas Williams des yeux.

Ce James Williams était un personnage déplaisant… Il comprenait pourquoi Mandy ne l'aimait pas. Il y avait chez lui ce quelque chose de condescendant qu'il ne supportait pas.

— Pas d'autres questions pour l'instant, déclara-t-il. Si j'en ai d'autres, je vous passerai un coup de fil.

Williams haussa les sourcils.

— Cela veut-il dire que vous allez faire des recherches sur cette prétendue disparition ?

— En effet.

Rafe n'en dit pas plus. L'homme qu'il avait en face de lui ne lui inspirait pas confiance. Son attitude était trop cavalière : il n'avait pas vu son associé depuis plusieurs jours et ne semblait pas se soucier de savoir où il se trouvait, ni s'il était en bonne santé. En revanche, il semblait contrarié que quelqu'un se mette à mener des investigations…

Pris d'une soudaine intuition, il demanda :

— Pouvez-vous nous montrer le bureau de Dan ? Je suppose qu'il en a un.

Williams passa une main nerveuse dans ses cheveux. Son visage exprimait un mélange d'impatience et d'irritation.

— Vous supposez bien, mais je crains que vous ne soyez déçu. Comme je vous l'ai dit, Dan ne vient que rarement au bureau.

Il marcha vers une porte et l'ouvrit en grand.

— Voilà, faites comme chez vous, dit-il avec un geste théâtral.

Il jeta un coup d'œil à sa montre.

— Maintenant, si vous voulez bien m'excuser, il faut que je retourne travailler.

Rafe laissa passer Mandy, puis pénétra à son tour dans le bureau en prenant soin de refermer la porte derrière lui.

Propre et bien rangée, la pièce sentait le renfermé. Le matériel habituel de bureau était soigneusement ordonné sur la table de travail.

Rafe s'approcha du confortable fauteuil de Dan et s'y installa. Il s'appuya au dossier et mit ses mains derrière la tête.

— Eh bien, notre Dan aime le confort !

Mandy s'assit sur l'un des sièges réservés aux visiteurs.

— Oui. Il était si fier de monter sa propre entreprise...

Rafe ouvrit les tiroirs et découvrit des dossiers contenant des listes de clients et de *prospects*. En revanche, pas d'agenda ou de calendrier qui puisse donner un quelconque indice de ses déplacements.

C'est au moment où il se décourageait qu'il découvrit un journal coincé au fond d'un des tiroirs : il s'agissait d'une édition du journal d'Austin. La date indiquait le 29 juin, soit deux jours avant la date de la disparition présumée de Dan.

Rafe se leva et tendit la main à Mandy.

— Allons-y.

Il emporta le journal avec lui, il l'étudierait plus tard. Bien sûr, il n'y avait qu'une chance infime pour que Dan l'ait conservé pour une raison particulière, mais il ne fallait négliger aucune piste... Il y en avait si peu !

Ils sortirent du bureau et passèrent devant la réception où la jeune secrétaire leur souhaita une bonne soirée avec un grand sourire.

Rafe se fit mentalement la promesse de revenir un jour où Williams serait absent, afin d'interroger les employés. Peut-être se montreraient-ils plus coopératifs que leur patron…

— Nous n'avons rien découvert, se lamenta Mandy comme ils sortaient du bâtiment.

— Je n'en suis pas si sûr, répondit-il. Parfois, on apprend autant des gens par leur silence que par leurs mots.

Il aida Mandy à s'installer dans la jeep, puis monta à son tour dans le véhicule et mit le moteur en marche.

— Personnellement, je pense qu'il ment, reprit-il.

— A propos de quoi ?

— Je suis prêt à parier que ce James Williams a une idée de l'endroit où Dan se trouve, ou tout au moins, de la cause de sa disparition. J'irai même plus loin : je suis presque sûr qu'il a quelque chose à voir personnellement dans la disparition de ton frère.

6.

Une fois qu'ils eurent rejoint la route principale, ils furent happés dans un flot de circulation intense.

Après avoir attendu deux fois à un feu rouge sans parvenir à l'intersection, Rafe s'impatienta.

— Arrêtons-nous pour manger un morceau quelque part, proposa-t-il, et attendons que la circulation se fluidifie.

Mandy sursauta, tirée de ses pensées. Elle réfléchissait aux soupçons de Rafe à l'égard de James et se demandait s'il n'avait pas raison : James aurait voulu cacher quelque chose qu'il n'aurait pas eu une autre attitude depuis le début de l'affaire.

— Austin s'est beaucoup développée depuis ton départ, dit-elle. Malheureusement, les voies de circulation n'ont pas suivi.

Rafe s'arrêta dans un restaurant en bord de route. Ce ne fut qu'une fois qu'ils furent installés et qu'ils eurent passé commande qu'elle déclara :

— Tu as raison, je commence à m'interroger sérieusement sur James. Ce n'est pas normal qu'il ne soit pas plus inquiet au sujet de Dan.

— A moins qu'il ne sache où il est ! Et il n'y a aucune raison qu'il nous le cache... sauf s'ils sont tous deux impliqués dans quelque chose d'illégal.

71

— Tu crois vraiment que le ranch serait utilisé comme plaque tournante pour un trafic ?

— Ce n'est pas improbable.

— Un trafic de clandestins ? De drogue ?

Rafe se frotta le front et soupira.

— Je n'ai malheureusement pas le moindre indice pour en juger.

Mandy étudiait subrepticement l'homme qui était assis en face d'elle. Elle faisait peu à peu connaissance avec celui que Rafe était devenu. S'il y avait eu autrefois chez Rafe quelque chose qui l'attirait, il lui fallait bien admettre que son magnétisme avait toujours le même pouvoir sur elle.

Il semblait fatigué, mais était-ce étonnant ? N'arrivait-il pas tout juste d'Europe de l'Est ? Et malgré cela, il n'avait pas arrêté de la journée.

Elle le regarda prendre son verre et boire une longue gorgée d'eau, et eut soudain envie de lui caresser la joue pour soulager sa lassitude.

— C'est difficile de revenir après toutes ces années, hein ?

Rafe reposa lentement son verre.

— Oui, admit-il.

Elle savait pertinemment que Rafe n'aimait pas parler de lui, mais elle rêvait depuis toujours de faire tomber sa carapace. Même Dan, son meilleur ami, n'y était jamais parvenu… Qu'importe ! Elle s'y emploierait de son mieux, car elle avait l'intuition qu'il souffrait davantage encore de cette solitude aujourd'hui que par le passé.

Le serveur vint leur apporter leurs salades et leurs thés glacés.

— J'ai comme l'impression que ce n'est pas un hasard si tu es resté éloigné de cette région si longtemps, insista-t-elle.

Rafe la regarda, son verre à mi-chemin de sa bouche.

— J'avais même fait le serment de ne plus jamais revenir au Texas…

Le moment était venu ! se dit-elle avec un mélange de crainte et de soulagement. Ils allaient enfin pouvoir crever l'abcès et exprimer tous les non-dits qu'il y avait entre eux.

Elle se pencha vers lui et murmura, avec une intensité qui fit trembler sa voix :

— Si je pouvais réparer ce que j'ai fait cette nuit-là, Rafe, je le ferais, crois-moi ! Ce qui s'est passé était entièrement ma faute… J'ai tellement honte de la façon dont mon père s'est comporté envers toi ! Je vis avec cette culpabilité depuis toutes ces années.

Rafe haussa les épaules.

— Tu ne devrais pas avoir honte.

Il prit sa fourchette et joua avec sa salade.

— Si j'avais été à sa place, j'aurais sans doute fait comme lui. Tu étais une jeune fille innocente qui n'avait rien à faire avec moi ce soir-là.

— Mais ce n'était pas ta faute ! C'est moi qui étais venue te voir.

— Tu crois cela ! s'exclama-t-il. Tu crois que je ne savais pas ce que je faisais en dansant avec toi ? Je t'ai encouragée. Je te désirais, cette nuit-là, Mandy, n'aie aucun doute là-dessus. Je savais que ce n'était pas bien, mais lorsque tu t'es présentée à ma porte, je ne t'ai pas repoussée. Et je n'ai pas non plus interrompu notre baiser. Et si ton père n'était pas arrivé, je ne suis pas sûr que j'aurais pu m'arrêter à temps. Il a bien vu que j'étais à deux doigts de perdre la maîtrise de moi-même. Il avait raison, c'était une bien mauvaise façon de le remercier de tout ce qu'il avait fait pour moi ! J'ai mérité qu'il me chasse de sa propriété.

Mandy n'en croyait pas ses oreilles : il avouait l'avoir désirée ! Son corps répondit aux paroles de Rafe comme s'il l'avait caressée.

— J'ai quelquefois pensé, murmura-t-elle, que je m'étais fait des idées sur… ce que tu ressentais pour moi cette nuit-là.

Rafe fronça les sourcils.

— Non non, ton imagination ne t'a pas joué de tours. Tu me troublais depuis un bon moment déjà. J'avais beau essayer de lutter contre ce que je ressentais, de me convaincre que tu n'étais qu'une enfant, j'avais du mal à faire comme Dan et à te traiter comme une sœur. Et cette nuit-là, je n'ai pas pu lutter. Tu avais l'air d'une vraie femme, et c'était tellement bon de te tenir entre mes bras… J'ai perdu la tête.

— Je te remercie de me dire ça, Rafe, souffla-t-elle. Cette scène m'a hantée pendant des années.

— Ton père est arrivé juste à temps, crois-moi. Il a fait ce qu'il fallait faire.

Mandy appuya son menton dans sa main.

— Le lendemain matin, j'ai essayé de lui expliquer ce qui s'était réellement passé, mais tu étais déjà parti. Je crois que c'est ma mère qui, en nous voyant danser, s'était rendu compte de ce qui risquait d'arriver. C'est elle qui a envoyé mon père. Le lendemain, je l'ai entendue lui parler et prendre ta défense. Elle invoquait ta jeunesse, les hormones… Elle lui disait d'essayer de se rappeler qu'il avait eu le même âge.

Ils mangèrent leur salade en silence.

— J'ai surmonté tout ça depuis longtemps, tu sais, reprit Rafe. Les choses se sont passées comme elles devaient se passer : tu as gardé encore un peu ton innocence, et je n'ai pas eu à vivre en pensant que j'étais celui qui te l'avait fait perdre. J'ai continué ma vie, je suis allé de l'avant…

— Mais tu n'es pas entré à l'université.

Il resta songeur plusieurs secondes avant de répondre :

— Étant donné les circonstances, j'ai pensé en effet qu'il valait mieux que je quitte la région.

— Alors, je t'ai empêché de suivre des études.

Rafe secoua la tête.

— Tu sais, j'aurais peut-être abandonné au bout du premier semestre. J'avais envie de voir le monde, à cette époque.

— T'es-tu embarqué sur un cargo ?

Il la regarda, surpris.

— Tu te souviens de cela ?

— Je n'ai oublié aucun détail de cette fameuse nuit, Rafe, murmura Mandy. Souvent, en m'endormant, je me suis remémoré les airs sur lesquels nous avions dansé, les paroles que nous avions échangées, la façon dont tu me regardais, ce que je ressentais. Je me demandais où tu étais, ce que tu faisais, s'il t'arrivait de penser à moi…

Rafe détourna le regard comme s'il attendait avec impatience la nourriture qu'ils avaient commandée. De toute évidence, il souhaitait qu'elle change de sujet.

— Où es-tu allé, après ton départ du ranch ? demanda-t-elle, voyant qu'il n'était pas disposé à endurer ses déclarations puériles.

— J'ai marché jusqu'à Austin. J'ai réfléchi à ce que j'allais faire.

— Et ?

— Et je me suis engagé dans l'armée.

— Tu aimais cela ?

Il réfléchit quelques instants.

— L'armée a fait de moi un homme. Je suis rentré dans les Forces spéciales.

— Et tu étais bon, dans ce que tu faisais ?

— Oui.

Leurs plats arrivèrent, et Rafe parut soulagé.

Ils mangèrent en silence. Une fois au dessert, Rafe se mit à son tour à l'interroger :

— Alors, que fais-tu à Dallas ?

— Je travaille pour l'aide sociale à l'enfance. J'ai une licence de psychologie et je fais des évaluations sur les enfants en difficulté et sur leurs conditions de vie, pour proposer des solutions. Aujourd'hui, on ne considère plus systématiquement qu'il est mieux pour un enfant de vivre avec ses parents.

Rafe s'enfonça derechef dans le silence.

Repensait-il à son enfance ? A sa propre famille ?

— A quoi penses-tu ? s'enquit-elle au bout d'un temps interminable.

— A rien d'intéressant.

Rafe se leva et sortit son portefeuille de sa poche de jean.

— On y va ?

Une fois dans le *pick-up*, ils empruntèrent la 290 pour sortir de la ville.

— Tu es toujours dans l'armée ? demanda-t-elle encore.

— Non.

— Tu as dit hier soir que tu étais consultant...

— Hmm...

— Quelle sorte de consultant ?

— J'apprends aux gens comment rester en vie dans un environnement hostile.

— Et tu aimes faire ça ?

— Oui.

— Ne penses-tu jamais à revenir travailler aux Etats-Unis ?

Il lui jeta un regard narquois.

— Il n'y a pas tellement de possibilités aux Etats-Unis pour le travail que je fais !

Mandy soupira. Au moins, elle savait à quoi s'en tenir : Rafe ferait son possible pour retrouver Dan, puis il repartirait.

Le soleil se couchait comme ils arrivaient au ranch.

Mandy descendit du *pick-up* et attendit que Rafe le gare dans l'un des hangars.

En le regardant descendre du véhicule et avancer nonchalamment vers elle, elle sentit son cœur se mettre à cogner dans sa poitrine et une vague de chaleur la parcourir. Elle tenta de se ressaisir tout en marchant à côté de lui vers la maison.

Ranger vint les accueillir en aboyant. Rafe s'agenouilla et flatta l'animal, lui murmurant des mots qu'il sembla apprécier.

Mandy les observa tous les deux, troublée. Quelle espèce pourrait résister au magnétisme de Rafe ?

— Je vais prendre une douche, annonça celui-ci une fois dans la maison. Je ne me suis pas encore réhabitué à l'humidité ambiante !

Elle acquiesça sans mot dire, puis se mit à errer sans but dans le salon et la cuisine, cherchant à apaiser le tumulte de ses sentiments, ces sentiments qu'elle avait refoulés pendant toutes ces années et qui étaient en train de resurgir avec d'autant plus de violence.

Rafe était de retour ! Temporairement, certes, mais pour l'instant il était là.

Ce retour de Rafe marquait un point crucial dans son existence. Avoir pu parler de ce qui s'était passé douze ans plus tôt lui permettait sans aucun doute d'évacuer les émotions réprimées à l'époque.

Oui, mais maintenant, qu'allait-elle faire ?

Elle sortit de la maison et s'assit sur les marches de la véranda. Elle avait besoin de s'arrêter et de réfléchir à ce qui était en train d'arriver. Son univers venait d'être bouleversé, elle ne se sentait plus en sécurité.

D'abord, Dan n'était plus là.

Cette pensée effrayante lui trottait sans cesse dans l'esprit. Elle se moquait bien que son frère ait pu faire quelque chose de répréhensible. Tout ce qui lui importait pour l'instant, c'était d'avoir la confirmation qu'il était bien vivant.

Autre élément perturbateur, Rafe était soudain réapparu.

Aimer Rafe était le plus grand risque qu'elle prendrait dans sa vie. Elle savait que cet homme était profondément marqué par son enfance difficile. Dans le cadre de son travail, elle rencontrait de nombreux enfants qui avaient préféré se fermer à toute émotion plutôt que de risquer d'être de nouveau blessés. Or, Rafe n'était plus un enfant vulnérable, mais un homme qui avait toujours vécu en solitaire et s'était endurci avec l'âge.

Tôt ou tard, il repartirait, elle le savait.

A moins que…

A moins qu'elle n'essaie de lui apprendre à appréhender ses sentiments autrement qu'en les refoulant ? A moins qu'elle ne lui montre à quel point elle est attachée à lui et combien son amour et son soutien pourraient l'aider à surmonter ses problèmes ?

Rafe avait admis avoir éprouvé des sentiments pour elle, douze ans plus tôt, c'était déjà ça…

Aurait-elle le courage de lui avouer ses sentiments ?

Si elle ne le faisait pas, elle savait qu'il continuerait à garder ses distances avant de disparaître de nouveau de sa vie.

Le destin lui offrait une deuxième chance. Qu'avait-elle à perdre, en dehors de sa dignité et de sa fierté ? Mais qu'était-ce, comparé à ce qu'elle pouvait gagner en partageant sa vie avec Rafe, en fondant avec lui les bases d'une vraie famille !

Bien sûr, elle pouvait jouer la sécurité et garder ses sentiments pour elle.

Oui, mais elle devrait alors passer le reste de sa vie à se dire qu'elle avait été trop timorée pour vérifier si le garçon dont elle était amoureuse autrefois existait toujours, derrière la dure carapace de l'homme qu'il était devenu.

Rafe se tenait debout sous le jet de la douche, essayant vainement de se relaxer.

Entendre que Mandy n'avait cessé de penser à lui toutes ces années l'avait profondément perturbé et l'effrayait au plus haut point, il ne savait pas pourquoi.

Après tout, il n'y avait plus rien entre eux, et il n'y avait aucune raison de penser que la situation pourrait évoluer le temps de son séjour au ranch.

En tout cas, Mandy semblait se détendre peu à peu en sa présence. Elle s'était même montrée bavarde au restaurant : elle lui avait rappelé la Mandy qu'il connaissait autrefois. Il aurait simplement préféré qu'elle choisisse de parler d'autre chose que de cette fameuse nuit...

Bien sûr, il s'était senti humilié lorsque Art Crenshaw l'avait traité comme un moins que rien, laissant entendre que sans lui il n'aurait pas eu de toit. Il en avait été profondément blessé, car il avait toujours respecté M. Crenshaw. C'était même le premier homme en qui il avait eu confiance. Alors, quand il avait quitté le ranch, déterminé à ne plus jamais regarder en arrière, il s'était promis de prouver à tous les Art Crenshaw de la terre qu'il n'était pas un moins que rien et qu'il pouvait faire quelque chose de sa vie.

Ecrire à Dan avait été la seule entorse à la promesse qu'il s'était faite de tirer un trait sur la famille Crenshaw.

Il se souvenait encore du jour où la réponse de Dan lui était parvenue. C'était la première fois que son nom était mentionné lors de la distribution du courrier ! Il avait contemplé l'écriture si caractéristique sur l'enveloppe et avait eu du mal à refouler ses larmes.

Dan s'était souvenu de lui ! Dan lui avait écrit !

Il avait attendu la tombée de la nuit pour ouvrir sa lettre. Le message était court et allait droit au but : Dan lui reprochait d'avoir quitté le ranch, quelles qu'aient pu être les remontrances de son père. Il regrettait qu'il ait fichu ses études en l'air et soit rentré si vite dans l'armée. Il lui exprimait cependant son intention de rester en contact avec lui et de lui écrire bientôt depuis Harvard.

Plusieurs fois au cours des douze dernières années, Rafe avait été sur le point de tout laisser tomber. Plusieurs fois, il avait perdu le sens de la vie qu'il avait choisie. Alors, le souvenir de Dan Crenshaw lui revenait, et il pouvait presque entendre son ami l'encourager à continuer. Aussitôt, il se sentait rasséréné.

— J'espère que tu m'entends, Dan, où que tu sois, murmura-t-il. Quel que soit le guêpier dans lequel tu t'es fourré, ne lâche pas prise, O.K. ? Je vais tout faire pour te venir en aide.

Rafe sortit de la douche et noua une serviette autour de sa taille. Il était trop épuisé pour poursuivre ses recherches aujourd'hui, il avait juste l'intention d'étudier le journal qu'il avait trouvé dans le bureau de Dan. Il l'avait laissé sur la table de la cuisine…

Il ouvrit la porte de la salle de bains, passa dans la chambre et s'immobilisa : Mandy était assise sur le lit.

De toute évidence, elle l'attendait.

— Mandy, parvint-il à dire, que fais-tu ici ?

Le visage de la jeune femme s'empourpra. Elle se leva, voulut parler, déglutit.

— Rafe, je… je n'ai plus quinze ans, bégaya-t-elle enfin.

La présence de Mandy à deux pas de lui fit immédiatement resurgir chez Rafe la nervosité dont il avait tant bien que mal réussi à se défaire. Il empoigna sa serviette comme si elle menaçait de lui fausser compagnie.

— J'en suis parfaitement conscient, dit-il gravement.

— Tu vois, je ne peux décidément pas m'empêcher de venir te retrouver pour me jeter à ton cou…

— Est-ce ce que tu es en train de faire ? demanda-t-il d'une voix rauque.

Mandy hocha la tête.

— Je veux faire l'amour avec toi. Je veux effacer ce qui s'est passé autrefois et le remplacer par de nouvelles images. Est-ce trop te demander…

Sa voix fléchit sur la fin, au point qu'il l'entendit à peine.

Incroyable ! Cette scène ressemblait en tout point aux rêves fiévreux qu'il faisait lorsqu'il se remettait de ses nombreuses blessures ! Mandy s'offrant à lui… Dans ses rêves, jamais il ne se posait de questions, il acceptait toujours l'offre avec beaucoup de bonne volonté.

— Je ne sais pas si c'est une très bonne idée, Mandy…

Etait-ce vraiment ce qu'il avait eu l'intention de dire ?

Il n'eut pas le loisir d'y réfléchir plus avant, car Mandy se mit à retirer son chemisier, puis son soutien-gorge, et il ne fut plus en mesure de penser. Il s'avança vers elle, comme attiré par un aimant, son regard accroché au sien.

Elle restait immobile, attendant qu'il agisse.

Jamais Rafe n'avait autant lutté de sa vie. N'avait-il pas réussi à prouver au cours des dernières années qu'il avait un *self-control* à toute épreuve ? Oui, mais rien ne l'avait jamais autant tenté.

Il leva la main et effleura sa joue.

— Oh, Mandy, tu es si douce…

Il vit que le regard de la jeune femme effleurait la serviette à l'endroit où son corps manifestait son désir.

Elle sourit et, s'approchant de lui, pressa ses seins nus contre son torse. Puis elle se mit à l'embrasser avec une impatience non dissimulée.

Non, en effet, elle n'avait plus quinze ans ! Son baiser vorace n'avait rien d'innocent et le mit dans tous ses états. Il noua ses bras autour d'elle, faisant fi de la serviette qui tomba à terre.

Mandy soupira, effleurant ses lèvres de son souffle. Elle promena lentement ses mains sur son dos, ses reins, ses hanches, les laissant glisser ensuite vers son sexe dressé, qu'elle se mit à caresser de ses doigts légers.

Rafe oublia alors définitivement pourquoi ce n'était pas une bonne idée de lui faire l'amour. Il savait seulement que s'il ne reprenait pas le contrôle de lui-même, il allait exploser sur-le-champ !

Il s'obligea à reculer, mais ne put empêcher ses mains de soupeser les seins lourds de la jeune femme et de les caresser. Lorsque, tête renversée, elle laissa échapper un gémissement, il s'embrasa.

Il s'attaqua à la ceinture du jean de Mandy et l'en débarrassa fébrilement avant de la soulever dans ses bras. Elle le contempla avec ravissement tandis qu'il la déposait sur le lit et s'allongeait près d'elle.

— Cela fait tellement longtemps que j'attends ce moment, grogna-t-il. Je ne peux plus attendre…

Les yeux brillants, elle tendit les bras et l'attira sur elle.

— Aime-moi, Rafe.

— C'est ce dont j'ai toujours rêvé, murmura-t-il en faisant glisser sa main depuis le creux de sa gorge jusqu'à la naissance de sa cuisse. Toi, allongée dans mon lit, ne portant rien d'autre que ton sourire…

Il s'allongea sur elle et, s'assurant qu'elle était prête, la pénétra sans plus attendre.

Mais au bout d'un temps très court, il s'abattit sur la jeune femme à bout de souffle.

Mandy le maintint contre elle, lui caressant le dos, lui chuchotant des mots apaisants, mais Rafe s'écarta et resta étendu à côté d'elle, les yeux clos, rouge d'humiliation.

— Je suis désolé, dit-il finalement lorsqu'il fut en mesure de parler.

— Ce n'est pas grave.

Il ouvrit les yeux.

Mandy, appuyée sur son coude, le contemplait.

— Nous avons toute la nuit, tu sais, murmura-t-elle. Personne ne viendra nous interrompre…

Elle avait ajouté ces derniers mots avec un sourire malicieux.

— Oh, Mandy, que vais-je faire avec toi ! se lamenta Rafe, la poitrine douloureuse de tout ce qu'il ressentait sans pouvoir l'exprimer.

— M'aimer, par exemple, suggéra-t-elle.

Rafe ne connaissait rien à l'art d'aimer. Ce mot ne faisait pas partie de son monde. En revanche, il pouvait se montrer tendre avec Mandy, l'aider à atteindre le plaisir dont sa précipitation incontrôlée l'avait privée.

— Laisse-moi te regarder à loisir, murmura-t-elle en se penchant vers lui. Laisse-moi nourrir mon imagination affamée de toi !

Elle fit courir sa main le long de sa mâchoire et se pencha pour l'embrasser avant de continuer son exploration. Ce faisant, elle découvrait une à une sous ses doigts ses cicatrices et voulait en connaître l'origine.

Rafe répondait chaque fois, mais bien vite il la reprit dans ses bras et la plaqua sous lui. Les caresses de Mandy l'avaient excité tellement vite qu'il en était abasourdi : jamais il ne parviendrait à se rassasier d'elle !

La jeune femme s'enroula autour de lui, ses bras et ses jambes le maintenant étroitement contre elle.

Rafe traça un chemin de baisers brûlants sur sa gorge et ses seins, dont il titilla les pointes de sa langue jusqu'à ce qu'elles s'érigent.

Quand il la pénétra, il l'entendit retenir son souffle. Il remua doucement, l'observant, l'attendant. Il voulait qu'elle prenne du plaisir... De sa bouche, il continuait à explorer chaque parcelle de son corps. Sa langue plongea dans sa bouche et lui imprima le même rythme que ses hanches. Cependant, Mandy ne semblait pas prête à s'abandonner.

« Allez, Mandy, laisse-toi aller. Fais-le pour nous... »

De nouveau, il perdit tout contrôle. Malgré sa frustration, il ne put empêcher son corps d'accélérer la cadence, de s'emballer en quête de sa délivrance.

Quand il la sentit se contracter intérieurement et l'entendit pousser une longue plainte de plaisir, il en fut émerveillé : la vie pouvait donc être aussi belle ?

Il enfouit sa tête dans le cou moite de Mandy, et tout son corps se détendit. Il eut la présence d'esprit de rouler sur le côté tout en la maintenant dans ses bras, puis il sombra vers les rives de l'oubli.

— J'ai froid, murmura-t-elle un peu plus tard.

Ils s'étaient assoupis sans rabattre les draps sur eux.

Rafe se redressa pour soulever les couvertures et les étendre sur eux.

— Viens là, ordonna-t-il en lui tendant les bras.

— Tu dormirais sans doute mieux si j'allais me coucher dans mon lit.

— Pas question, gronda-t-il.

Mandy se glissa sous les couvertures et se colla contre son flanc.

— Tu as encore froid ? demanda Rafe.

— Plus maintenant.

— Moi non plus.

Et il n'avait plus envie de dormir non plus. Il avait Mandy dans son lit ! Il n'allait pas gâcher un moment pareil en sombrant dans le sommeil !

— Rafe ?

— Hmm.

84

— Dis-moi quelque chose.

Il exhala un soupir de satisfaction.

— Que veux-tu que je te dise ?

— Parle-moi de tes parents.

Il resta immobile, fixant l'obscurité.

— Mes parents ? Que veux-tu savoir ?

— Je veux que tu me parles de toi. Tu n'as jamais rien dit sur tes parents pendant toutes ces années où tu as vécu ici.

— Que veux-tu savoir ?

— Leurs noms, d'où ils étaient, comment ils se sont rencontrés… Enfin, ce genre de choses.

Curieusement, Rafe se sentait tellement détendu qu'il pouvait envisager de penser à ses parents sans en être contrarié. Rien ne pouvait altérer le cocon de contentement dans lequel il était lové.

— Le nom de mon père est Luke McClain. Ma mère, Maria Salinas. Mon père était en garnison au Texas lorsqu'ils se sont rencontrés. Maman avait dix-sept ans…

Comme il s'était tu, Mandy l'encouragea à continuer.

— Ils se sont rencontrés, sont tombés amoureux et se sont mariés, c'est ça ?

— J'ignore s'ils étaient amoureux. Tout ce que je sais, c'est que ma mère est tombée enceinte. Sous la pression de ses parents, mon père l'a épousée.

— Et tu es venu au monde.

— Non, elle a d'abord donné naissance à un petit garçon qui est mort à l'âge de deux ans.

— As-tu d'autres frères et sœurs ?

— Deux sœurs.

— Tu es donc le seul garçon.

— Oui.

— Que faisait ton père ?

— En dehors de boire, tu veux dire ? railla Rafe. Il a toujours travaillé dans le bâtiment, mais avait des difficultés à garder un travail. Pourtant, il était habile de ses mains quand il était sobre. Quoique…, il savait aussi s'en servir quand il ne l'était pas. J'ai appris à rester hors de son atteinte dès que j'ai été en âge de marcher !

— Quand es-tu arrivé dans la région ?

— A l'âge de huit ans. C'est là que j'ai rencontré Dan. Ensuite nous avons plusieurs fois déménagé, mais j'ai toujours regretté ce coin du Texas. C'est la raison pour laquelle je suis revenu ici quand je me suis enfui de chez mes parents.

— Comment ta mère a-t-elle réagi à ton départ ?

— Aucune idée. J'en avais marre que mon père me batte, alors je suis parti au beau milieu de la nuit et ne suis plus jamais revenu.

— Comme lorsque tu es parti d'ici…

Il resta silencieux. Ça, c'était bien vu !

— Oui, c'est un peu ça, admit-il finalement.

— Rafe, je veux que tu me dises au revoir, la prochaine fois, le supplia Mandy. Ne pars pas au beau milieu de la nuit. Promets-le-moi !

— Pourquoi ? Quelle différence cela ferait-il ?

— Je veux avoir la possibilité de te dire au revoir.

Il se tourna pour l'étudier.

— Je ne pars pas encore, murmura-t-il en lui caressant un sein.

— Je sais, répondit-elle en cherchant ses lèvres des siennes.

7.

Des coups frappés à la porte d'entrée tirèrent Rafe de son sommeil. Il ouvrit les yeux et vit dans le petit jour Mandy repousser les couvertures et se lever en grommelant.

— Qui est-ce ? demanda-t-il.

Elle haussa les épaules et se dirigea vers la porte.

— Probablement Tom...

— J'espère que tu n'as pas l'intention d'aller ouvrir dans cette tenue, protesta Rafe en s'asseyant.

En fait de tenue, Mandy n'en portait aucune !

Il entendit la porte d'une armoire s'ouvrir et se refermer et sourit : elle avait au moins passé un peignoir. Il bâilla, se demandant quelle heure il pouvait être. Il avait retiré sa montre la veille avant de prendre sa douche, et ensuite il avait été trop distrait par les événements pour penser à la remettre.

Il n'était pas très fier de ce qui venait de se passer entre lui et Mandy.

Il se souvenait bien avoir fait des efforts héroïques pour résister, mais en vain. Maintenant, il allait devoir faire face aux conséquences de ses actes et à leur répercussion sur sa tranquillité d'esprit. Il n'avait même pas pensé à s'assurer que Mandy utilisait un moyen de contraception, ce qu'il n'oubliait pourtant jamais... Son cerveau s'était tout bonnement mis en veilleuse lorsqu'il était sorti de la salle de bains et l'avait trouvée dans la chambre ! Son corps et ses émotions avaient pris le contrôle des opérations.

Que ferait-il au cas où Mandy tomberait enceinte ?

Il grogna à la pensée d'être à l'origine d'une situation semblable à celle qu'avait créée son père, trente-cinq ans auparavant. Les êtres humains étaient-ils donc destinés à répéter les fautes de leurs parents de génération en génération ?

Il se secoua et décida de prendre une douche rapide.

Après ce qui venait de se passer, il n'avait plus grande foi en son *self-control*. L'attitude la plus intelligente à adopter était de s'éloigner du ranch : il allait faire part à Tom de son intention d'explorer les alentours de la piste d'atterrissage et d'y rester une nuit ou deux.

Mandy n'avait pas fini de nouer la ceinture de son peignoir lorsqu'elle arriva devant la porte vitrée de la cuisine. Elle aperçut Tom à travers la vitre.

— Bonjour, Tom, entrez, lui dit-elle en ouvrant la porte.

Puis elle se détourna pour préparer du café tandis que Tom refermait la porte derrière lui.

— Je suis inquiet, Mandy, déclara celui-ci. Pourquoi n'avez-vous pas fait rentrer Ranger comme d'habitude, hier soir ? J'ai été surpris de le trouver ce matin endormi sous ma véranda.

Mandy continua à s'affairer sans se retourner.

— J'aurais dû vous le signaler, mais j'ai estimé qu'il monterait mieux la garde à l'extérieur, se justifia-t-elle. Et puis je me sens plus en sécurité, maintenant que Rafe dort ici…

— Ah ah…

Mandy fit volte-face.

Tom se tenait debout au beau milieu de la pièce et la jaugeait d'un air soupçonneux.

— Asseyez-vous, Tom. Je vais vous servir du café.

Non sans réticence, le contremaître prit place à table.

— Désolé de vous avoir réveillée, s'excusa-t-il, comme elle ne disait rien.

— Ce n'est rien. Il était temps que je me lève.

Elle ne se sentait pas très à l'aise, consciente de ne rien porter sous le coton de son peignoir.

Elle sortit trois tasses du buffet et les posa sur la table.

— Je reviens tout de suite. Servez-vous…

Elle se hâta vers la salle de bains et prit sa douche, puis se précipita dans sa chambre afin de s'habiller. Comme elle revenait dans la cuisine, elle entendit deux voix masculines qui conversaient.

Tom et Rafe étaient assis face à face, une tasse de café fumante devant eux. Rafe expliquait à Tom son projet d'explorer la zone autour de la piste d'atterrissage.

Il s'interrompit quand elle entra dans la pièce et lui sourit.

— Bonjour, Mandy ! Tu as bien dormi ?

— Très bien, murmura-t-elle sans lui accorder un regard.

Elle se versa du café et s'assit à son tour.

Tom les étudiait avec attention, son regard allant de l'un à l'autre. Elle eut l'impression qu'il devinait rien qu'à les voir qu'elle venait de passer la nuit dans les bras de Rafe McClain.

— Que pensez-vous trouver ? demanda finalement Tom, en se tournant vers Rafe.

— Je ne sais pas trop, mais il me paraît important d'inspecter entièrement la zone d'où Dan s'est volatilisé. Je m'accroche peut-être à de faux espoirs, mais pour l'instant il n'y a pas grand-chose d'autre que nous puissions faire.

Il but une gorgée de café avant de reprendre.

— J'ai parlé à James Williams, hier. Vous le connaissez ?

Tom haussa les épaules.

— Je ne l'ai rencontré qu'une seule fois, il ne vient pas souvent par ici.

— Je trouve étrange qu'il ne se sente pas plus concerné par l'absence prolongée de Dan.

— Vous n'avez pas tort, admit Tom. Je n'ai pas confiance en ce type.

— Moi non plus, opina Rafe. Ça fait au moins une chose que nous avons en commun !

Tom jeta un coup d'œil à Mandy avant de détourner le regard.

— J'ai comme l'impression qu'il n'y a pas que ça que nous avons en commun...

Mandy sentit qu'elle rougissait. Elle ne pouvait pas s'en empêcher.

— Avez-vous pris votre petit déjeuner, Tom ? s'enquit-elle précipitamment en quittant la table.

— Oui, fit-il en souriant. Il y a plus de deux heures.

Sans un mot, elle se mit à préparer du bacon et des œufs.

— Combien d'employés travaillent à plein temps au ranch ? interrogea Rafe.

— Trois, sans me compter.

— Les connaissez-vous bien ? Leur faites-vous entièrement confiance ?

Tom se gratta l'oreille.

— Ce sont des gars du coin, je les connais depuis toujours.

— Vous êtes de la région ?

— Oui, de Dripping Springs. C'est là que je suis allé à l'école.

— Dan et moi allions à Wimberley, précisa Rafe. Est-ce parce que vous viviez près du ranch que vous avez rencontré Dan ?

— Non. J'avais entendu dire qu'il recherchait quelqu'un pour gérer l'exploitation. Je me suis présenté et j'ai décroché le job.

— Savez-vous si l'un des hommes qui travaillent pour vous aurait des problèmes de drogue, de jeu ou quoi que ce soit pouvant l'inciter à gagner de l'argent illégalement ?

— Pas que je sache. Pourquoi ?

Rafe passa la main dans ses cheveux.

— Je ne sais pas… Il me semble que quelqu'un vivant au ranch pourrait très bien mettre au point un système permettant de faire entrer et sortir des marchandises du pays.

Tom se raidit.

— Vous croyez que c'est ce qui se passe ici ?

— C'est une hypothèse à laquelle je réfléchis : Dan a très bien pu entendre un avion cette nuit-là et aller faire des investigations, et ce qu'il a découvert l'aura mis en danger. On l'aura alors embarqué à bord de l'avion pour l'empêcher de parler.

— Ils auraient eu plus vite fait de l'abattre sur place, objecta Tom.

— Oui, mais ils ne l'ont pas fait, ce qui a son importance. Peut-être ne veut-on pas qu'une enquête soit menée au sein même du ranch…

— Et qui, selon vous, serait derrière tout cela ?

— Là est la question.

Mandy posa une assiette fumante devant Rafe. Il leva les yeux et lui sourit.

— Merci.

Dans l'incapacité de prononcer une parole intelligente, elle se contenta de hocher la tête. Le sourire de Rafe avait le pouvoir de lui faire trembler les genoux.

Elle posa une assiette à sa propre place, resservit du café à tout le monde, s'assit et se concentra sur la nourriture qu'elle avait devant elle.

Tom reprit la parole.

— Vous pensez qu'il peut s'agir de quelqu'un du ranch ?

— Pas forcément. J'explore toutes les possibilités.

Tom acquiesça.

— Je vais interroger mes gars et je vous tiendrai au courant.

— Merci.

— En attendant, dit Tom en se levant, au travail !

Il regarda Mandy et lui adressa un sourire hésitant.

— Je reviendrai vous voir plus tard. Si Rafe s'en va, je préférerais que vous gardiez Ranger auprès de vous...

Rafe aurait-il raison ? se dit Mandy, frappée. Tom l'avait regardée avec une intensité inusitée... Le contremaître la considérait-il autrement que comme la sœur de Dan ?

Elle aimait bien Tom. C'était un homme bon. Mais elle avait déjà donné son cœur à Rafe il y avait longtemps, une nuit d'été.

Et la nuit dernière, elle avait concrétisé cet état de fait.

— Merci de vous soucier autant de moi, Tom, dit-elle doucement en posant la main sur son bras. Je garderai Ranger avec moi.

Il fit un bref signe de tête.

— A plus tard.

Il partit et referma tranquillement la porte derrière lui.

Maintenant qu'elle se retrouvait seule avec Rafe, Mandy se sentait gagnée par la nervosité.

Il ne fallait pas qu'elle tire de plans sur la comète, simplement parce qu'ils avaient fait l'amour la nuit dernière ! Après tout, c'était elle qui était allée vers lui, comme l'autre fois...

Rafe allait-il faire allusion à ce qui s'était passé entre eux, ou devrait-elle, elle-même, lui signifier qu'elle n'avait pas pris leurs ébats trop au sérieux ?

Elle posa les yeux sur lui et s'aperçut qu'il lisait un journal.

Comme c'était touchant ! Pendant qu'elle se torturait l'esprit à se demander ce qu'il ressentait à propos de la nuit dernière, il était déjà passé à autre chose !

Mandy sauta sur ses pieds et porta son assiette jusqu'à l'évier.

— As-tu terminé ton petit déjeuner ? s'enquit-elle d'une voix neutre.

— Oui.

— Tu veux un autre café ?

— Euh... oui, répondit-il sans relever le nez de son journal.

Mandy fut tentée de lui verser le café sur la tête, mais il aurait pensé qu'elle était contrariée.

Ce qui n'était pas le cas. Pas le moins du monde !

Après avoir débarrassé la table, elle quitta la pièce sans un mot.

Après tout, il n'y avait rien à dire : Rafe venait de lui montrer on ne peut plus clairement qu'il n'avait pas l'intention de laisser leurs ébats modifier la nature de leur relation. A quoi s'était-elle attendue ? Pourtant, quand elle y repensait, elle se rendait compte que Rafe s'était ouvert comme jamais il ne l'avait fait. Il avait même parlé de son enfance... Peut-être avait-elle réussi à entailler un peu sa carapace ?

Il n'y avait pas eu qu'une relation physique entre eux, même si celle-ci avait dépassé toutes ses espérances. Rafe lui avait appris des choses qu'elle ignorait sur elle-même. Elle espérait qu'il en avait été de même pour lui. Peut-être n'avait-il tout simplement pas su quoi dire ce matin ?

La meilleure chose à faire était de s'armer de patience.

On ne parvenait pas à changer en une nuit un homme qui avait passé toute sa vie à se protéger.

Rafe était sur le point de jeter le journal trouvé dans le bureau de Dan quand un entrefilet au bas d'une page attira son attention :

« La police a répondu samedi matin à une alerte en provenance de DSC Corporation. Les responsables de la société affirment qu'un lot de leurs toutes nouvelles puces pour microprocesseurs A71 Firestorm a été dérobé alors qu'elles étaient entreposées dans un hangar sous haute sécurité.

» La valeur de ces puces est estimée à un million de dollars. Selon la police, ces puces valent sur le marché plus que leur poids en or. »

C'était donc la raison pour laquelle Dan avait conservé ce journal !

L'information n'avait probablement rien à voir avec sa disparition, mais qui sait ? N'était-il pas étrange que James Williams n'ait pas mentionné, lors de leur entretien, le vol dont sa société avait été victime ?

Des puces pour microprocesseurs… Plus il y pensait, plus il voyait un lien entre cette affaire de vol et la disparition de Dan. De la contrebande… Il existait plusieurs pays qui, n'ayant pas le droit de faire des affaires avec les Etats-Unis, seraient prêts à payer une fortune pour mettre la main sur du matériel technologique de pointe.

Et James et Dan étaient assis sur une mine d'or...

Après tout, les puces n'avaient peut-être pas été volées mais déclarées comme telles, afin de pouvoir être vendues beaucoup plus cher ! Or, Dan l'avait contacté en lui demandant son aide... Non, ça ne collait pas, son ami savait pertinemment qu'il ne ferait jamais rien d'illégal.

Ce qui était plus probable, c'était que Dan avait découvert que les composants manquants et son ranch étaient liés à un trafic illégal. Il avait alors fait appel à lui pour mettre fin à ce trafic. Oui, cela lui ressemblait davantage.

Rafe reposa le journal et se leva pour regagner sa chambre. Mandy était en train de refaire le lit. Il regrettait de ne pas avoir pu lui dire bonjour comme il l'aurait souhaité tout à l'heure, mais elle n'aurait pas apprécié ce genre d'effusions devant Tom.

Il s'approcha et, l'enveloppant de ses bras par-derrière, l'embrassa derrière l'oreille.

— J'aurais voulu faire cela lorsque tu es entrée dans la cuisine, murmura-t-il, mais je me suis dit que ça ne plairait pas tellement à Tom...

La jeune femme se retourna et lui passa les bras autour du cou.

— C'est très délicat de ta part, répondit-elle en l'embrassant.

À regret, Rafe s'écarta.

— Je dois y aller, Mandy. Je vais aller explorer les alentours de cette piste. Je ne sais pas quand je rentrerai.

Elle lui sourit.

— Attends un peu ! Laisse-moi te faire quelques sand-wichs.

Il la suivit dans l'entrée, vaguement inquiet.

Il lui fallait maintenant se concentrer sur la disparition de Dan, mais il avait tout le mal du monde à mettre de côté les émotions qui le submergeaient depuis la nuit précédente.

Il n'arrivait pas encore à croire qu'il avait enfin pu posséder Mandy... Il s'était dit que la réalité ne pourrait jamais égaler les fantasmes qu'il concevait à son égard. Pourtant, il n'avait rien connu de plus fort que leurs ébats de la nuit dernière. Ce qui risquait de lui faire perdre de vue ses objectifs... C'était une bonne chose qu'il s'éloigne un peu du ranch aujourd'hui. Cela lui permettrait de retrouver un certain équilibre.

Après avoir rempli son sac à dos, il fit un signe de la main à Mandy et sortit.

La cour du ranch semblait déserte.

— Vous voulez que je vous dépose ?

Rafe s'immobilisa et regarda autour de lui : Tom se tenait sur le seuil de l'écurie.

— Non merci, dit-il en s'éloignant. J'ai besoin d'exercice.

Il observait Tom avec attention depuis qu'il était revenu au ranch. C'était tout à fait le type d'homme dont Mandy avait besoin..., et il était évident qu'il avait un faible pour la jeune femme, quoiqu'elle en dise. Après tout, Rafe n'avait aucune raison de se mettre en travers du chemin du contremaître. Mandy méritait tellement mieux que ce que lui-même était en mesure de lui donner !

Il ne savait pas pourquoi il s'était ainsi laissé aller à parler à Mandy de son père et de sa mère, après tout ce temps. Sa famille faisait partie de son passé et n'avait plus aucun rapport avec sa vie présente... S'il baissait sa garde, se dit-il, il risquait d'être atteint aux points les plus sensibles.

Le problème était qu'il ne s'était pas rendu compte qu'il avait des points sensibles avant que Mandy ne resurgisse dans sa vie.

Comme il avait souvent coutume de le faire, il quitta la route pour marcher au milieu des feuillages. Si quelqu'un rôdait dans les parages, il devait être à couvert.

Lorsqu'il arriva à la piste, Rafe commença à en inspecter les alentours. A l'ouest, le terrain, fait d'un mélange de roches et d'argile, était très accidenté. Rafe descendit dans l'un des petits ravins et en suivit le tracé à la recherche d'éléments suspects.

Vers midi, il s'arrêta pour manger les sandwichs que Mandy lui avait préparés. Il observa le paysage inhospitalier composé d'affleurements rocheux et de failles. De là où il était assis, il lui sembla qu'une échancrure découpait la roche sur la paroi qui lui faisait face. Il était passé devant cet endroit un peu plus tôt mais n'avait rien remarqué. Les rayons du soleil éclairaient à présent la cavité, révélant ce qui semblait être une grotte naturelle.

Le cœur de Rafe se mit à battre plus rapidement : une grotte était une cachette idéale...

Comme il n'y avait pas moyen d'accéder par le bas, il dut sortir du ravin et en longer le tracé pour accéder à la faille. Il repéra alors à la hauteur de la grotte une petite corniche non visible d'en bas. Avançant avec précaution sur l'étroit rebord, il s'approcha jusqu'à pouvoir jeter un coup d'œil à l'intérieur.

La cavité était d'environ trois mètres carrés habitables.

Habitable était le mot approprié, car un être humain habitait bel et bien ici. Des provisions le prouvaient : quelques boîtes de conserve, des casseroles, un sac de couchage.

Etait-ce là que se cachait Dan ? Ce n'était guère le style de son ami... En tout cas, quelqu'un vivait ici, et il était bien décidé à découvrir de qui il s'agissait.

Il redescendit dans le ravin pour y chercher un poste d'observation. Il avisa un bosquet d'arbres suffisamment touffu pour qu'il puisse s'y dissimuler, ce qu'il fit sans plus attendre. Satisfait de son camouflage, il s'appuya contre un tronc et attendit.

8.

Une pluie fine et continue s'était mise à tomber, tandis que des grondements de tonnerre ponctuaient régulièrement le silence ambiant.

Au bout de plusieurs heures d'immobilité, la patience de Rafe fut récompensée. Il saisit les jumelles qu'il avait pris soin d'emporter et les régla sur une silhouette furtive qui approchait de la grotte avant de s'y engouffrer.

Rafe attendit une dizaine de minutes avant de quitter son poste d'observation, puis gagna discrètement la corniche qui permettait d'accéder à la grotte.

Comme il s'en approchait, il vit que la lueur vacillante d'une bougie s'en échappait. S'appuyant contre la paroi rocheuse, il jeta un coup d'œil rapide à l'intérieur.

Un tout jeune garçon était en train de fouiller dans un sac, tournant le dos à l'entrée. Il était seul.

Rafe fit un pas à l'intérieur de la grotte.

— Y a-t-il assez à manger pour deux ? dit-il.

Le gamin laissa échapper un cri et se retourna brusquement. Visiblement tendu à l'extrême, il fixa avec des yeux écarquillés Rafe, qui s'accroupit sur ses talons.

— Je ne vais pas te faire de mal, le rassura-t-il. Dis-moi, mon garçon, pourquoi vis-tu dans cet endroit ?

Le gamin ne répondit pas.

Il paraissait avoir une dizaine d'années tout au plus. Beaucoup trop jeune, en tout cas, pour vivre seul, ce qui était manifestement le cas, si l'on en jugeait par ses vêtements en loques et trop petits pour lui et ses cheveux en broussaille qui lui tombaient dans les yeux.

L'estomac de Rafe se serra. Ce gamin désemparé lui rappelait de mauvais souvenirs...

Il s'assit à même le sol et s'appuya contre la paroi de la grotte.

— Tu as bien arrangé cet endroit, dit-il. J'espère que l'eau ne pénètre pas dans la grotte lorsqu'il pleut, car j'ai bien l'impression que nous allons avoir droit à une belle averse !

Le garçon se contentait toujours de l'étudier sans piper mot.

Rafe soupira.

— Ecoute, je suis sûr que tu t'imagines que je vais vouloir te faire faire quelque chose dont tu n'as pas envie. Eh bien tu te trompes ! Par contre, je crois que tu peux m'aider si tu le veux bien...

Le gamin se balança d'un pied sur l'autre.

— Comment ? dit-il enfin.

Il avait l'air si jeune que Rafe en était bouleversé. Mais il savait qu'il ne devait pas montrer sa compassion. Il devait plutôt essayer de l'amadouer... Il plongea sa main dans la poche de sa chemise et en sortit un paquet de bœuf séché qu'il avait ouvert un peu plus tôt. Il prit un bâtonnet pour lui-même et tendit le paquet à son hôte.

— Sers-toi.

Le jeune garçon le fixa d'un air suspicieux.

Rafe attendit patiemment, comme s'il essayait d'attirer une créature sauvage blessée. Le bras toujours tendu, il mordit dans son bœuf séché et le mâcha.

Le garçon s'approcha prudemment et empoigna le paquet avant de battre en retraite. Il regarda de nouveau Rafe, puis prit un bâtonnet et voulut lui rendre le paquet.

— Garde-le, j'en ai d'autres.

Le garçon rangea précautionneusement le paquet dans la poche de sa chemise et s'assit sur son sac de couchage pour mâcher son bâtonnet.

— Pourquoi dites-vous que je peux vous aider ? demanda-t-il après plusieurs secondes de silence.

— Eh bien voilà. Est-ce que tu as un ami ? lui demanda Rafe. Quelqu'un avec qui jouer, te balader...

Le petit se rembrunit.

— Je n'en ai plus.

— Mais tu as eu un ami comme ça, n'est-ce pas ? Tu sais à quel point ce genre de choses compte pour quelqu'un ?

Le garçon fixa ses genoux terreux.

— Oui, murmura-t-il.

— Eh bien, c'est ce que je ressens pour Dan. C'est le nom de mon ami. Dan et moi nous nous connaissons depuis l'âge de huit ans. Cela fait longtemps, tu vois... Plus de vingt ans !

Le gamin ne le quittait pas des yeux. Il avait réussi à éveiller son intérêt.

— Alors quand j'ai reçu une lettre de lui il y a quelques semaines, disant qu'il avait besoin de mon aide, je suis venu aussitôt pour voir ce que je pouvais faire. C'est en général ce que font les vrais amis, hein ?

Rafe s'interrompit et regarda autour de lui.

— As-tu quelque chose à boire ? demanda-t-il. Ce bœuf séché m'a donné une belle soif !

Le gamin alla fouiller dans un de ses sacs d'où il sortit deux canettes de soda.

— Merci, fit Rafe en prenant celle qu'il lui offrait.

Il but une longue gorgée, imité par le gamin.

— Donc, quand je suis arrivé ici, j'ai appris que Dan avait disparu, reprit-il. Personne ne sait où il est et je suis très inquiet à son sujet. La seule chose que l'on sache, c'est qu'il est venu dans le coin, car on y a retrouvé sa jeep.

Il ne quittait pas l'enfant des yeux. Il le vit hocher brièvement la tête.

— Alors je suis venu ici pour chercher des indices. Je suis tombé par hasard sur ta grotte et je me suis dit que tu savais peut-être quelque chose sur la disparition de mon ami…

— Ils lui ont tiré dessus, dit le gamin d'une voix faible.

Les mots se répercutèrent dans l'esprit de Rafe avec une telle force qu'il eut du mal à garder son souffle. Son cœur se mit à battre à coups précipités. Il eut envie de prendre le gamin au collet pour lui extirper d'autres informations, mais réussit à se maîtriser à temps. L'expérience lui avait appris qu'il convenait au contraire de paraître détaché en toute circonstance pour en apprendre un maximum.

— Qui l'a tué ? demanda-t-il.

— Je ne sais pas.

— Raconte-moi ce qui s'est passé…

— J'ai entendu le moteur d'une jeep, raconta l'enfant, alors je suis allé sur la corniche pour voir. Personne n'est sorti de la voiture, mais il y avait quelqu'un, car je distinguais sa forme. Alors j'ai attendu. Au bout d'un moment, un avion a atterri. Deux types en sont descendus.

Rafe but une gorgée de soda et encouragea du regard le petit à poursuivre.

— Le gars de la jeep est sorti, reprit ce dernier. Ils se sont tous mis à parler en même temps. A part quelques mots, je n'ai rien compris.

— Dis-moi ce que tu as entendu…

— Les deux types de l'avion étaient très en colère. Celui de la jeep répétait tout le temps qu'il ne le ferait pas.

— Qu'il ne ferait pas quoi ?

— Je ne sais pas. Il leur a dit de retourner voir leur patron et de lui dire que tout était terminé. Puis il a marché vers l'avion et les autres l'ont suivi.

— Est-ce là qu'ils lui ont tiré dessus ?

— Non. L'un des deux lui a balancé un coup de poing, alors le type de la jeep s'est défendu et a mis son agresseur par terre. Alors un autre type est descendu de l'avion et a sorti un pistolet. Il a tiré sur le gars de la jeep et a ordonné aux deux autres de le porter dans l'avion. C'est ce qu'ils ont fait...

Ils restèrent assis en silence.

Rafe imaginait la scène qui venait de lui être décrite et, à chaque seconde, la douleur dans sa poitrine devenait plus aiguë. Maintenant, il savait pourquoi Dan n'avait contacté personne...

— Tu crois que c'était ton ami ? demanda finalement le petit.

Rafe prit une profonde inspiration avant de répondre.

— Oui, je le crois.

— Je suis désolé.

— Moi aussi.

Après un instant de réflexion, le gamin reprit la parole.

— Tu sais, je ne crois pas qu'ils l'ont tué. Il a simplement dû être blessé à l'épaule ou au bras... Quand ils l'ont transporté dans l'avion, j'ai vu qu'il bougeait la tête. Il était juste blessé à ce moment-là.

— J'espère que tu as raison...

— Comment tu t'appelles ? lui demanda le garçon.

— Rafe. Et toi ?

— Kelly.

— C'est un joli nom.

— Le tien aussi !

— Depuis combien de temps vis-tu ici, Kelly ?

103

Il haussa les épaules.

— Quelque temps…

— Comment as-tu trouvé cet endroit ?

— Je cherchais simplement un endroit où il n'y aurait personne.

— Tu n'aimes pas trop les gens, n'est-ce pas ?

— Pas beaucoup.

— Moi non plus.

— As-tu déjà vécu dans un foyer de placement ?

Rafe mit un instant avant de répondre.

— Non. Et toi ?

— Une fois, et je n'ai pas aimé.

— Alors tu t'es enfui…

— Ouais.

— Comment te nourris-tu ?

Kelly le regarda d'un air de défi.

— Je vole.

— Ça pourrait être dangereux, tu sais.

Rafe regarda autour de lui.

— Tu as volé ce sac de couchage ?

— Non. Il était à moi, avant.

— Et tes vêtements ?

— Je ne vole pas de vêtements. Juste de la nourriture.

— Pas facile de vivre ainsi, hein ?

— Ça ne me dérange pas.

— Et si tu te faisais prendre ?

Kelly haussa les épaules.

— As-tu déjà pensé à te faire embaucher dans un ranch ? demanda Rafe.

— Qu'est-ce que je pourrais faire dans un ranch ?

— Toutes sortes de choses ! J'ai travaillé dans le ranch d'ici, moi, quand j'avais à peu près ton âge…

— Vraiment ?

— Ouais. J'ai comme l'impression que nous avons pas mal de choses en commun, toi et moi. A cette époque, moi non plus je n'aimais pas l'endroit où je vivais. Alors je suis parti.

— C'est vrai ?

— Absolument ! Heureusement, j'avais la chance de connaître Dan. C'est lui le propriétaire de ce ranch, maintenant. A l'époque, son père et sa mère m'ont logé ici en échange du travail que je fournissais. N'as-tu jamais pensé à trouver un travail ?

— Je ne veux pas qu'on sache que je suis dans le coin.

— Je te comprends. Ecoute, si tu décidais d'aller à l'école et de travailler, tu pourrais rester dans ce ranch. Crois-tu que cela te plairait ?

— Il y a d'autres enfants ?

— Non.

— Tant mieux !

— Tu n'aimes pas les autres enfants ?

— Pas trop...

Rafe s'étira en bâillant.

— Je ne sais pas ce que tu en penses, mais moi je ferais bien un somme. Est-ce que cela t'ennuie si je dors ici cette nuit ?

— Mais... je n'ai qu'un sac de couchage.

— Ne t'inquiète pas. J'ai l'habitude de dormir à même le sol.

Joignant le geste à la parole, Rafe s'allongea sur le sol, en travers de l'entrée de la grotte.

— J'apprécie beaucoup ton hospitalité, Kelly, reprit-il. Je pense que tu dois être un bon ami.

— Tu veux dire... comme Dan ?

— Oui. Un ami comme Dan.

Rafe ferma les yeux. Quelques minutes plus tard, la bougie s'éteignit et la grotte fut plongée dans l'obscurité.

S'efforçant de ne pas penser à Dan, il sombra dans un profond sommeil.

Rafe n'était pas rentré à la maison la veille au soir.

Mandy s'était rongé les sangs toute la nuit de le savoir dehors, sous l'orage. Elle avait tenté de se rassurer en se disant qu'il était entraîné pour survivre dans des conditions extrêmes... Elle détestait penser à ce qu'il avait dû endurer pour avoir autant de cicatrices sur le corps ! Il valait peut-être mieux ne pas le savoir.

Une deuxième journée venait de s'écouler, et toujours pas de nouvelles ! Elle avait plusieurs fois envisagé d'envoyer Tom à la piste d'atterrissage, mais s'était retenue de le faire, ne voulant pas qu'on l'accuse de réagir de manière excessive.

Il fallait qu'elle s'occupe pour ne pas se laisser aller à des idées noires. Hier, elle avait nettoyé la maison de fond en comble. Aujourd'hui, elle allait concocter un bon dîner, si par hasard il revenait...

Elle venait de sortir un rôti du four lorsque Ranger, allongé près du réfrigérateur, se mit à gronder.

Mandy tiqua.

Ranger connaissait Rafe. Par conséquent, la personne qui arrivait dans l'obscurité était un intrus. Pourtant, il s'agissait bien de Rafe, elle reconnaissait sa voix.

Ranger cessa de gronder mais resta raide sur ses pattes, prêt à bondir.

— Rafe, c'est toi ? fit Mandy en ouvrant la porte.

Le visage de l'homme qu'elle aimait sortit de l'ombre, et le cœur de Mandy bondit dans sa poitrine. Rafe n'était pas seul, mais son compagnon restait en arrière.

— C'est moi, confirma-t-il. J'ai amené un ami. Nous sommes tous les deux un peu crottés !

106

Mandy haussa un sourcil. Un ami ? De qui parlait-il ?

— Enlevez vos bottes et entrez, dit-elle. Vous arrivez juste à temps, le rôti sort du four !

Elle se sentait nerveuse, et dans ces cas-là elle devenait bavarde. Elle ne savait absolument pas à quoi s'attendre. Où diable Rafe avait-il pu dénicher un ami ?

Elle entendit le raclement des bottes. Rafe entra et lui sourit, le regard hésitant. Il se retourna et fit un geste vers l'individu qui le suivait.

— Mandy, je voudrais te présenter Kelly...

Un gamin débraillé pénétra à son tour dans la cuisine.

— Kelly, voici Mandy, la jeune femme dont je t'ai parlé. C'est la sœur de Dan.

Mandy détailla le gamin, atterrée : il était d'une maigreur à faire peur. Des yeux bleus immenses dévoraient son visage émacié. Ses cheveux blond cendré semblaient ne pas avoir été en contact avec du shampoing depuis belle lurette... Il la regardait avec crainte, comme s'il s'attendait à ce qu'elle le chasse.

Elle sentit son cœur se serrer.

— Je suis ravie de te rencontrer, Kelly ! s'exclama-t-elle avec chaleur. Tous les amis de Rafe sont mes amis. Vous pouvez tous les deux aller prendre une douche avant de manger, si vous voulez.

Indécis, Kelly chercha Rafe du regard. Celui-ci acquiesça.

— Cela me semble être une bonne idée. Je vais te montrer où est la salle de bains.

Il posa doucement sa main sur l'épaule du garçon et l'entraîna hors de la cuisine.

Mandy était perplexe.

Tôt ou tard, Rafe allait tout lui expliquer, mais pour l'instant, l'irruption de ce gamin déguenillé dans sa maison était un mystère complet. Où Rafe l'avait-il trouvé ?

En attendant, il serait intelligent de trouver quelque chose de décent à lui mettre sur le dos.

Elle se rendit dans sa chambre et fouilla dans son placard. Elle se souvenait d'y avoir entreposé un carton contenant de vieux vêtements, des jeans et des chemises qu'elle portait avant de quitter la maison. Cela ferait l'affaire… Elle s'assit sur ses talons et choisit ce qui lui sembla le mieux convenir.

Quand elle frappa à la porte de la salle de bains, il y eut un silence de plusieurs secondes avant que la voix tendue de Kelly ne se fasse entendre.

— Oui ?

— J'ai trouvé des vêtements que tu pourras mettre pour qu'on puisse laver ceux que tu portais…

Doucement, Kelly entrouvrit la porte de la salle de bains. Mandy lui tendit les vêtements. Le regard du gamin alla de Mandy aux vêtements, puis de nouveau à Mandy.

— Merci, dit-il finalement.

La jeune femme sourit.

— Ils sont probablement un peu grands pour toi, mais au moins ils sont propres.

Dès qu'il eut refermé la porte, Mandy se hâta d'aller retrouver Rafe qui prenait sa douche dans la salle de bains de la chambre principale. Il était temps qu'il lui fournisse quelques explications !

Mandy ouvrit la porte de la salle de bains et entra. Sous le jet de la douche, Rafe ne l'entendit pas arriver.

— Que se passe-t-il, Rafe ? demanda-t-elle quand il eut fini de se rincer les cheveux.

Rafe sursauta. Lorsqu'il la découvrit à quelques mètres de lui, il la gratifia d'un sourire carnassier.

108

— Tu veux me rejoindre ?

Il la fixait avec une telle intensité qu'elle eut de la peine à rester concentrée sur le sujet qui la préoccupait.

— Je voudrais savoir où tu as trouvé Kelly.

— Il vit dans une grotte, dans les ravins qui entourent la piste d'atterrissage.

— Oh mon Dieu ! Mais qui est ce gamin ?

— Aucune idée. En tout cas, je l'ai convaincu d'échanger nos habitations pour un petit moment.

— Que veux-tu dire ?

— Je t'expliquerai tout à l'heure. Ceci dit, je lui ai promis un job au ranch. Crois-tu que Tom pourrait lui trouver quelque chose ?

— Comment le saurais-je ? Ce n'est qu'un gamin !

— Et alors ? Dan et moi travaillions au ranch, au même âge. Il doit bien y avoir quelque chose à lui confier pour lui permettre de payer sa pension. Je ne veux pas qu'il retourne dormir là-bas.

— Moi non plus…

Mandy avait les plus grandes difficultés à rester concentrée sur leur conversation, car, tout en parlant, Rafe avait entrepris de rincer son corps savonné. Elle dut se retenir pour ne pas se laisser aller à promener ses mains sur ce corps musclé, histoire de vérifier qu'il était bien là en chair et en os. Il lui avait terriblement manqué au cours de ces deux jours… Ce qui était de mauvais augure pour l'avenir, si elle était censée vivre sans lui !

— Laisse-moi faire, dit-elle quand il eut fermé le robinet.

Elle s'avança, la serviette à la main, et se mit à le frotter vigoureusement par tout le corps. Elle sourit en voyant la façon dont il réagissait à son contact.

— Et alors, à quoi t'attendais-tu, Mandy ! grommela-t-il, l'air un peu gêné. Je n'ai pas l'habitude que des mains de femme se baladent sur moi sans autre motif que de m'essuyer !

— Est-ce que tu m'as entendue me plaindre ?

— Non, mais…

— Mais rien ! Habille-toi et viens manger pendant que c'est chaud !

Elle s'enfuit presque de la pièce de peur de ne pas parvenir à s'éloigner de lui, et se surprit à sourire toute seule en mettant la table.

Kelly apparut sur le seuil.

— Tout va bien ? s'enquit Mandy en lui souriant.

Comme elle s'en était doutée, les vêtements étaient trop grands pour lui. Il avait roulé les jambes du pantalon et les manches de la chemise, dont la large encolure faisait ressortir son cou délicat.

Mandy eut soudain envie de prendre dans ses bras ce gamin si frêle et de le serrer contre elle.

— Où est Rafe ? demanda le petit en regardant autour de lui.

— Il se lave, lui aussi.

Elle désigna l'une des chaises.

— Assieds-toi. Veux-tu du lait ?

Il l'étudia, puis regarda la chaise et la table pleine de victuailles, avant de l'observer de nouveau avec méfiance.

— Qui d'autre va manger avec nous ? demanda-t-il.

— Personne. Seulement toi, Rafe et moi. Pourquoi ?

— Ça fait beaucoup de nourriture pour trois personnes !

— Nous ne mangerons pas tout, cela fera des restes pour demain.

Mandy fut soulagée de voir Rafe apparaître. Celui-ci posa sa main sur l'épaule de Kelly.

— Ça fait du bien de porter des vêtements propres, hein ? dit-il en le guidant vers la table.

Kelly prit place à côté de Rafe. Il tira même discrètement sa chaise pour se rapprocher de lui. Mandy ne savait que faire ou que dire pour l'aider à se détendre, mais le jeune garçon, voyant que ses hôtes se servaient copieusement, n'hésita pas à faire de même.

A la moitié du repas, Kelly sembla enfin se départir de la tension qui l'habitait. Il s'appuya au dossier de sa chaise et un large sourire éclaira son visage.

— Vous êtes une super cuisinière, Mandy ! s'exclama-t-il. Tout est drôlement bon !

— Tu as raison, renchérit Rafe. Mandy est un cordon-bleu !

Rongée par la curiosité, elle ne put s'empêcher de demander :

— Ta mère ne s'inquiète pas que tu sois parti depuis si longtemps ?

Ses deux compagnons de table se raidirent, et elle comprit qu'elle venait de commettre une bévue. Mais bon sang, après tout, elle avait le droit de se poser des questions ! Quelqu'un avait appris à ce petit les bonnes manières. Alors, où était cette personne à présent ?

Rafe lui lança un regard noir et continua à manger sans piper mot. Kelly but une gorgée de lait avant de laisser échapper dans un souffle :

— Ma mère est morte.

— Oh ! fit Mandy. Je suis désolée, Kelly. Je sais qu'il est très dur de perdre sa mère.

Il hocha la tête.

— Ouais… Elle a eu une pneumonie. Normalement, ça ne tue pas, mais comme elle était anémiée…

— Anémiée ?

— Elle n'avait pas assez de sang ou quelque chose comme ça.

— Je vois.

Mandy lut dans le regard de Rafe qu'il désapprouvait qu'elle pose toutes ces questions à Kelly. Pourtant, elle poursuivit :

— Quand est-elle morte ?

Le petit haussa les épaules.

— Ça fait longtemps… L'année dernière.

Comme s'il devançait la prochaine question, Kelly ajouta tout de go :

— Je n'ai pas de père. Je vivais juste avec ma mère. Elle faisait des ménages et travaillait dans une épicerie pour que nous puissions rester ensemble. Elle ne voulait pas qu'on m'enlève à elle.

— Ce devait être une maman formidable, murmura-t-elle.

Le visage de Kelly s'éclaira.

— Oh oui ! C'était mon meilleur pote !

Il regarda Rafe.

— Enfin… mon meilleur ami, se reprit-il sobrement.

Rafe hocha la tête, mais continua à faire comme s'il ne prenait pas part à la conversation et ne s'occupait que de son assiette.

Kelly, lui, s'enhardissait.

— Rafe dit que je peux peut-être travailler dans votre ranch, Mandy… Je suis un bon travailleur, vous savez ! Il a aussi dit qu'il voulait emprunter ma grotte quelque temps, pendant que moi je resterais ici. C'est un peu comme un échange…

Il jeta un coup d'œil à Rafe, quêtant son assentiment.

Celui-ci acquiesça.

— C'est tout à fait ça ! Nous allons dormir ici ce soir, et je parlerai à Tom, le contremaître, demain matin.

— Il va falloir que je devienne ami avec votre chien, expliqua solennellement Kelly à Mandy.

Tous trois se tournèrent vers Ranger qui montait la garde devant le réfrigérateur.

— Je pense que tu n'auras pas de difficultés à t'en faire un ami, déclara Mandy, la gorge nouée.

Rafe McClain était peut-être un homme dur, mais il était capable d'offrir à un enfant sans abri la promesse d'un avenir meilleur. Si elle ne l'aimait pas déjà, le comportement de Rafe envers le jeune garçon aurait eu raison de toutes ses réticences.

Rafe s'éclaircit la gorge.

— Kelly m'a été d'une grande aide, déclara-t-il. Je crois que je viens de concevoir un plan pour retrouver Dan...

Mandy le foudroya du regard.

— Et c'est seulement maintenant que tu m'en informes !

Il désigna son assiette du menton.

— Chaque chose en son temps ! Voilà : Kelly m'a appris que deux avions se posaient sur la piste d'atterrissage de façon récurrente. Il les a observés et a remarqué que le premier avion décharge de la marchandise qui est ensuite dissimulée aux alentours. Deux nuits plus tard, un second avion atterrit et récupère la marchandise. C'est le premier avion qui m'intéresse, car c'est dans celui-ci que Dan est parti.

— Oh, Kelly ! s'exclama Mandy. Alors tu as vu mon frère la nuit où il a disparu !

Kelly se contenta de hocher la tête.

— Il se confirme qu'il se passe quelque chose de malhonnête autour de cette piste, poursuivit Rafe. Elle a sans doute été repérée depuis les airs et choisie en raison de son accessibilité et de son éloignement.

— Sais-tu où se trouve Dan ?

— Pas encore, mais j'ai bien l'intention de le découvrir. Je vais attendre que le premier avion se pose avec sa cargaison. J'essaierai alors de m'immiscer dans l'opération, un peu comme Dan l'a fait. On verra bien...

Mandy le considéra avec inquiétude.

— Mais c'est beaucoup trop dangereux ! Ces gens se livrent de toute évidence à des activités illégales ! Pourquoi ne pas appeler le shérif pour qu'il vienne les arrêter ?

— Pas tout de suite. Je veux d'abord récupérer Dan. Si ces types sont arrêtés, il ne diront pas où il est.

— Alors tu crois qu'ils le retiennent quelque part ?

— C'est ce que j'espère découvrir.

— Et s'ils décident de te garder prisonnier aussi ?

— Ils peuvent toujours essayer !

Rafe se tourna vers Kelly.

— J'ai donc demandé à Kelly de rester ici et de monter la garde avec Ranger pour te protéger, car je ne sais pas combien de temps je resterai absent. Ça te convient ?

Il soutint le regard de Mandy.

— Oui, finit-elle par murmurer.

Qu'aurait-elle pu dire d'autre ?

C'était du Rafe tout craché, cette attitude autoritaire ! Bon, elle n'avait rien contre le fait que Kelly reste ici. Rafe avait raison, cela lui ferait de la compagnie et la distrairait de son inquiétude.

— La chambre de Dan, celle qu'il utilisait quand il était gosse, est-elle libre ? s'enquit Rafe.

— Elle a été transformée en débarras.

Mandy sourit à Kelly.

— Mais si les volants sur les rideaux ne te dérangent pas, tu peux t'installer dans la chambre dans laquelle j'ai grandi.

Comme il s'agissait également de la chambre dans laquelle elle dormait depuis son retour au ranch, Rafe haussa les sourcils d'un air interrogateur.

Elle lui répondit par un sourire lumineux.

Reportant son attention sur Kelly, elle se rendit compte qu'il commençait à piquer du nez dans son assiette.

— Rafe, veux-tu accompagner Kelly à sa chambre pendant que je m'occupe de desservir ?

— Je pensais que tu voudrais y aller toi-même. Comme il s'agit de ta chambre...

— Oh, j'irai chercher ce dont j'ai besoin plus tard !

Rafe se leva et aida Kelly mort de fatigue à en faire autant.

— Allez, mon garçon. Au lit !

Dès qu'elle eut terminé de ranger, Mandy rejoignit Rafe dans le salon. Il regardait le journal télévisé.

— Kelly est bien installé ? demanda-t-elle en s'asseyant à côté de lui sur le canapé.

— Il s'est endormi dès que sa tête a touché l'oreiller. Je crois que nous avons réussi à gagner sa confiance. Lorsqu'il a laissé tomber sa garde, son corps a capitulé.

— Sais-tu quel âge il a ?

— Il affirme qu'il a douze ans, mais je n'en crois rien. Onze, peut-être...

— A-t-il expliqué pourquoi il vivait dans de telles conditions ?

— Je pense qu'il s'est enfui d'un foyer de placement.

— Ses responsables doivent être en train de le chercher.

— Tu parles comme les gens des services sociaux d'aide à l'enfance !

— Comme c'est curieux.

— Si tu veux profiter de mon absence pour faire des recherches sur lui, ne te gêne pas.

— Il doit aller à l'école en septembre, Rafe, tu le sais bien !

— Je sais que tu feras pour le mieux.

— Oui, en effet.

— Pourquoi lui as-tu cédé ta chambre ?

— Parce que j'ai un autre endroit pour dormir.

— Ah oui ? Où ça ?

— Devine !

9.

— Je ne suis pas sûr que ce soit une bonne idée, Mandy.

— Peut-être pas, admit-elle, mais peu importe ! Je suis prête à payer le prix de cette faiblesse.

Elle se pencha vers lui et l'embrassa sur le menton.

— Je veux passer le maximum de temps avec toi.

— Tu sais que nous n'aurons jamais une relation durable, toi et moi, lui rappela Rafe. Nous sommes trop différents, et puis mon job m'amène à voyager énormément. Cela ne marchera jamais entre nous !

Mandy l'étudia pendant plusieurs secondes, cherchant sur son visage ce qu'il ne souhaitait pas lui dire.

— Ecoute-moi bien, Rafe, murmura-t-elle. Premièrement, que ça te plaise ou non, nous sommes engagés dans une relation durable depuis que nous sommes gosses !

Elle le vit tiquer à ces paroles, mais il ne la contredit pas.

— Deuxièmement, poursuivit-elle, oui... en effet, nous sommes très différents l'un de l'autre, mais cela ne me pose absolument aucun problème. Désolée s'il n'en est pas de même pour toi !

Elle lui colla un rapide baiser sur les lèvres et reprit :

— Troisièmement et dernièrement, *cow-boy*, je ne t'ai jamais considéré comme un type normal qui rentre à la maison à

17 heures ! Tu es comme tu es et tu fais ce que tu as à faire. Jamais je n'essaierai de te changer.

Elle pencha la tête et lui sourit.

Rafe soupira.

— Tu ne parles pas du plus important : cela ne marchera jamais entre nous.

— Cela ne marchera pas si tu ne le veux pas ! Cela marche bien maintenant, et pour les prochaines heures… Je suis prête à me contenter de ça. Que tu veuilles ou non l'admettre, ce que tu projettes de faire est très dangereux, il y a de grands risques que tu te fasses tuer. Tu t'apprêtes à disparaître de la même façon que Dan, et moi je risque de devoir vivre le reste de ma vie dans l'ignorance de ce qui vous est arrivé…

— C'est bien ce que je dis ! s'exclama Rafe. Et justement, je ne veux pas te faire de mal, de quelque manière que ce soit !

— Je suis une grande fille, Rafe. Je te l'ai déjà fait remarquer, je n'ai plus quinze ans !

— Et tu n'es plus innocente, ajouta-t-il, une lueur malicieuse dans le regard.

— En effet, si l'on considère tout ce que tu m'as fait l'autre nuit…

— Je ne t'ai rien fait, murmura-t-il. Nous avons tout fait ensemble.

Mandy noua ses bras autour de ses épaules.

— Tu peux me faire une nouvelle démonstration ?

Elle déposa un léger baiser sur ses lèvres et recula la tête pour mieux voir son expression.

— Je suis incapable de te résister ! admit Rafe.

— Alors n'essaie pas !

*
* *

Lorsque Rafe s'assit sur les marches de la véranda de Tom Parker le lendemain matin, le soleil se levait tout juste.

— Vous êtes bien matinal, fit remarquer Tom lorsqu'il sortit de sa maison. Alors, qu'avez-vous trouvé autour de la piste d'atterrissage ?

Rafe se leva.

— Je sais comment Dan a quitté le ranch, déclara-t-il. Et j'ai l'intention de suivre ses traces dans l'espoir de le retrouver.

— Comment avez-vous découvert cela ?

— J'ai mis la main sur un gamin qui vit dans une grotte surplombant le terrain et qui m'a renseigné. Son nom est Kelly... A propos, je lui ai promis que vous lui dénicheriez du boulot au ranch.

— Quel âge a-t-il ?

— Dix ou onze ans... même s'il affirme être plus âgé.

— Vous croyez qu'il a fait une fugue ?

— Sans aucun doute. Mais connaissant Mandy, je suis sûr que nous saurons bientôt tout sur ce gamin !

Il regarda Tom, puis détourna les yeux.

— J'espère que vous pourrez lui trouver quelque chose à faire. Même s'il s'en défend, Kelly a besoin qu'on s'occupe de lui. Il lui faut des vêtements, des chaussures, mais c'est quelqu'un de fier, alors il doit gagner de l'argent par lui-même.

— On dirait que vous le connaissez bien.

— Vous ne croyez pas si bien dire... Disons que je le comprends. Si vous lui offrez une chance, il travaillera dur pour vous, croyez-moi.

— Envoyez-le-moi. Je verrai ce que je peux faire.

Rafe lui tendit la main.

— Merci, Tom. Je vous revaudrai ça.

Tom secoua la tête.

— Vous ne me devez rien, mais j'apprécierais beaucoup que vous nous rameniez le patron au ranch ! Nous avons besoin de lui ici.

— J'espère y parvenir, grommela Rafe.

Il avait demandé à Kelly de ne révéler à personne que Dan s'était fait tirer dessus : il était inutile d'effrayer Mandy pour l'instant.

Quand il rentra dans la maison, il trouva la jeune femme en train de faire le café.

— Quand je me suis réveillée, tu étais déjà sorti ! s'exclama-t-elle. Je ne croyais pas te revoir ce matin…

— Il fallait que je parle à Tom. Il est d'accord pour s'occuper de Kelly.

— Tant mieux.

Il s'approcha d'elle et passa les bras autour de sa taille.

— Je suis désolé, Mandy.

— De quoi ?

— De ne pas être l'homme que tu voudrais que je sois, celui dont tu as besoin. Un qui ne disparaîtrait pas à tout bout de champ…

Elle se retourna entre ses bras.

— Tu n'as pas à t'excuser de quoi que ce soit, Rafe. Tu as répondu à l'appel de Dan : tu es revenu au Texas depuis l'autre côté du monde, donc tu es aussi capable de revenir… J'espère que tu retrouveras mon frère, mais si par malheur tu n'y parviens pas, ta visite m'aura tout de même fait énormément de bien.

— Je le retrouverai, Mandy, lui promit-il. Je suis content, moi aussi, d'être revenu, et ce pour plusieurs raisons. J'ai l'impression que j'avais laissé mon passé devenir un tigre que je refusais d'affronter. Maintenant que je lui fais face, le tigre est devenu un chaton qui n'a rien de féroce !

120

Il fut interrompu par un bruit de pas légers qui s'approchaient. Kelly apparut sur le seuil de la cuisine. Il avait remis ses vêtements, que Mandy avait lavés et repassés.

— Salut, mon garçon ! Nous allons prendre le petit déjeuner, et ensuite nous irons voir le contremaître, annonça Rafe. Ça te convient ?

— Oui, Rafe. Euh… oui, monsieur !

Quelques heures plus tard, Kelly, infatigable, courait de l'écurie à la cabane à outils et du tracteur à la grange.

Jamais Rafe n'avait entendu quelqu'un poser autant de questions ! Ils ne furent pas trop de deux — Tom et lui-même — pour satisfaire la curiosité de leur nouvelle recrue.

Finalement, Rafe laissa Kelly en compagnie de Tom et rentra à la maison.

— Je vais dormir quelques heures, annonça-t-il à Mandy. Ensuite, je partirai. Je prendrai la jeep, mais je la dissimulerai pour qu'elle ne soit pas visible du ciel.

— Les attends-tu ce soir ?

— Je n'en sais rien. Kelly a seulement mentionné qu'ils venaient de façon régulière. Peut-être se montreront-ils ce soir…

Pourtant, il ne se passa rien ce soir-là, pas plus que les deux soirs qui suivirent.

Au cours de ces trois jours, Rafe revenait au ranch dans la journée pour voir Kelly et Mandy, manger avec eux et se reposer. Au coucher du soleil, il retournait à la piste.

Pendant ses visites au ranch, il constata avec plaisir que Kelly semblait s'attacher à Mandy et à Tom… Cela le blessait de savoir que tôt ou tard il ne ferait plus partie de leur vie, mais il était content que Tom soit là pour Mandy et Kelly.

Le soir du quatrième jour, Rafe entendit enfin le moteur d'un avion volant bas. Depuis la corniche où il était posté, il regarda l'avion décrire des cercles avant d'atterrir.

Il avait eu le temps de se préparer mentalement et techniquement pour cette mission : l'important était qu'il parvienne à monter vivant dans l'avion. A chaque étape de sa préparation, il s'était concentré sur cet objectif. Maintenant, il avait hâte de passer à l'action.

Kelly lui avait montré où se trouvait la zone de livraison. Il ne fut donc pas difficile à Rafe de sauter sur l'homme qui venait d'accrocher un *attaché-case* dans les branches d'un arbre.

Il posa sa lame de couteau sur la gorge de l'intrus.

— Il ne t'arrivera rien si tu coopères, lui murmura-t-il à l'oreille. Emmène-moi jusqu'à l'avion et débrouille-toi pour m'y faire monter. Tu as compris ?

L'homme fit un bref hochement de tête.

— Compris.

Comme ils approchaient de l'avion, l'un des hommes qui se trouvait à l'intérieur demanda :

— Que se passe-t-il ?

Ce fut Rafe qui répondit :

— J'ai besoin que vous me déposiez, mon pote.

Lorsqu'il poussa l'homme dans l'avion et monta à sa suite, les deux autres occupants n'eurent pas le moindre geste de rébellion. Peut-être était-ce à cause de sa tenue de camouflage, de son visage couvert de noir… A moins que ce ne soit le couteau de combat qu'il tenait à la main !

— Allons-y ! enjoignit-il au pilote, une fois attaché sur son siège, en lui caressant l'épaule du bout de sa lame.

Personne ne protesta parmi les occupants de l'avion. Deux hommes étaient assis à l'avant. L'homme que Rafe avait menacé était assis à côté de lui. Tous ne cessaient de lui jeter des regards incrédules.

— Que voulez-vous ? demanda le passager assis à côté du pilote, une fois qu'ils eurent décollé.

— Je veux que vous me conduisiez à votre chef.

— Pourquoi ?

— Je n'ai pas à vous faire part de mes raisons.

— Il ne va pas être content de vous voir…

— J'essaierai de surmonter cette déception.

La nuit était noire, mais il n'y avait pas de nuages. Rafe observa la terre à leurs pieds.

Pendant tout le temps où il avait patienté dans la grotte, il avait étudié des cartes aériennes de la zone, depuis le ranch jusqu'à la frontière mexicaine. Son intuition ne l'avait pas trompé : ils étaient bel et bien en train de traverser la frontière.

Deux heures plus tard, ils atterrirent sur un petit aérodrome. Personne ne les attendait… L'avion roula doucement jusqu'à un hangar et le pilote coupa le moteur.

— Et maintenant ? demanda l'un des hommes.

— Conduisez-moi jusqu'à votre chef.

— Il dort.

— Ce n'est pas un problème.

Les hommes se regardèrent, puis haussèrent les épaules.

Rafe savait qu'ils étaient armés. Il savait aussi que s'ils tentaient quelque chose, il pourrait, avec un peu de chance, venir à bout de deux d'entre eux. Quant au troisième, il y avait bel et bien un risque !

Il suivit les hommes qui s'étaient mis à marcher en direction d'une vaste *hacienda* nichée au milieu des collines.

Au bout d'un moment, le pilote s'arrêta et dit :

— Je vais me coucher. Si vous voulez me tuer, c'est le moment.

Rafe eut un demi-sourire.

— Dors bien, *amigo* !

Surpris, le pilote l'étudia plusieurs secondes avant de disparaître dans l'obscurité. Bien sûr, il pouvait revenir par-derrière et essayer de le désarmer, mais Rafe était prêt à prendre le risque.

Une fois devant la porte d'entrée de l'*hacienda*, les deux autres hommes se regardèrent.

— Si nous le réveillons, dit l'un des deux, il va nous tuer.

L'autre désigna Rafe du menton.

— Si nous ne le réveillons pas, c'est celui-là qui va nous tuer !

— Puis-je faire une suggestion, messieurs ? intervint Rafe. Dites-moi où je peux trouver la personne en question. Je ne lui dirai rien sur la façon dont je suis arrivé ici.

Ils l'observèrent avec méfiance puis se consultèrent du regard. Enfin, l'un des deux se décida à lui expliquer où il pourrait trouver le chef, tandis que l'autre lui ouvrait la porte d'entrée de l'*hacienda*. Puis tous deux s'éloignèrent d'un pas rapide.

Quelle loyauté ! pensa Rafe, amusé malgré lui par la facilité avec laquelle ces hommes avaient coopéré.

Il monta les marches deux à deux, traversa l'immense hall et s'arrêta devant les doubles portes qui se trouvaient au bout. Il tourna délicatement la poignée. La porte s'ouvrit.

Rafe pénétra dans la chambre et referma la porte derrière lui. Des fenêtres s'ouvraient sur trois côtés de la pièce, laissant entrer une faible lueur. Un immense lit trônait sous un dais au beau milieu de la pièce. Apparemment, le patron dormait seul. Ce soir, en tout cas…

L'homme s'éveilla rapidement au contact de la lame froide qui lui caressait la carotide.

Une fois que Rafe fut certain que toute son attention était concentrée sur lui, il dit :

— Cela ne durera pas longtemps. Je cherche un des mes amis, Dan Crenshaw.

L'autre cilla.

— *Dan Crenshaw*, répéta Rafe lentement. Je suis ici pour lui. Alors voici le plan : vous me menez jusqu'à lui et vous nous faites traverser la frontière dans l'avion que j'ai vu garé dans la propriété. *Comprende* ?

Comme l'autre ne pipait mot, il renforça la pression sur sa lame.

— Tu veux que je répète un peu plus fort ?

Les yeux de l'homme étaient éloquents. Il n'avait pas besoin de prononcer une parole pour qu'on comprenne qu'il était prêt à coopérer.

Rafe ôta son genou de la poitrine de son interlocuteur.

— Debout !

L'homme s'extirpa de son lit.

— Conduisez-moi à Dan, répéta Rafe.

L'homme regarda d'un air hésitant son corps nu. Il n'en menait pas large… Rafe avisa le jean et la chemise posés sur une chaise, ainsi qu'une paire de sandales. Il lui fit signe de s'habiller.

— Passe devant ! lui enjoignit-il ensuite.

Son sang battait dans ses veines. Il se sentait extrêmement alerte et prêt à tout pour arriver à ses fins.

L'autre dut le sentir. Il devait considérer qu'il avait affaire à un fou. Ou, à l'instar de ses hommes de main, il était impressionné par son sang-froid. En tout cas, il obtempéra.

Rafe lui emboîta le pas.

Ils traversèrent le hall et sortirent de la maison. Personne ne les attendait à l'extérieur… Après avoir fait le tour de l'*hacienda*, l'homme franchit une porte qui menait à un grand patio rempli de toutes sortes de fleurs et d'arbustes. Il accéléra le pas et passa sous une voûte creusée dans le mur entourant le patio. Puis, Rafe sur ses talons, il suivit un sentier qui s'enfonçait dans la nuit vers ce qui devait être un enclos cerné d'un mur en pisé.

L'homme ne cessait de regarder par-dessus son épaule, comme pour s'assurer qu'il le suivait bien. Lorsqu'il s'arrêta, Rafe faillit le bousculer. L'individu ouvrait une grille en fer forgé…

Rafe regarda autour de lui, et sa gorge se serra : il venait de réaliser où ils se trouvaient.

Ces croix, ces pierres tombales… C'était le cimetière de l'*hacienda* !

10.

Rafe faillit hurler de rage. Il saisit l'homme par le cou, prêt à l'étrangler pour lui faire payer ce qu'il avait fait à Dan.

Bien sûr, il avait envisagé l'hypothèse que son ami n'ait pas survécu à sa blessure, mais il n'avait jamais pu se faire à cette idée.

« Je suis venu dès que j'ai eu ton message, se lamenta-t-il en lui-même, s'adressant à Dan. Pourquoi as-tu voulu jouer les héros ? Pourquoi ne m'as-tu pas attendu ? Tu savais que j'allais venir ! Si seulement tu avais patienté deux semaines… »

En tout cas, il n'allait pas repartir comme ça ! Il était venu pour ramener Dan à la maison, et c'était ce qu'il allait faire, dût-il pour cela faire creuser la terre à mains nues à cet olibrius !

Lentement, il desserra les doigts qui encerclaient le cou de l'homme.

Celui-ci déglutit péniblement, puis se remit à marcher en accélérant le pas sur le sentier qui traversait le cimetière. Il le suivit, hébété. Il entendit un grincement et comprit que l'homme venait d'ouvrir la grille qui permettait de sortir du cimetière par l'autre issue.

Que diable cela voulait-il dire ? S'était-il trompé ? Dan n'était-il donc pas mort ? Oh, pourvu qu'il se soit trompé !

127

Après avoir parcouru plusieurs centaines de mètres, ils parvinrent à une petite maison isolée.

L'homme frappa à la porte et parla en espagnol. A l'intérieur, quelqu'un alluma une lampe. Une vieille femme aux cheveux gris tombant sur les épaules ouvrit la porte et les fixa d'un air effrayé.

L'homme prononça quelques mots à voix basse. La femme hocha vigoureusement la tête plusieurs fois et ouvrit la porte en grand.

Rafe fit signe à l'homme d'entrer devant lui.

L'ameublement de la pièce était rudimentaire. Dans la pénombre, Rafe distingua un lit dans un coin. La femme marcha jusqu'au lit et leva la lampe au-dessus de sa tête afin qu'ils puissent voir... Dan était étendu sur le grabat, le torse nu et bandé. Le bandage, qui enveloppait son épaule droite, ne suffisait pas à dissimuler l'inflammation tout autour de la blessure.

— Vous l'avez laissé sans soin pendant des semaines ! s'étrangla Rafe en se précipitant vers son ami. Vous ne voyez pas que sa blessure est infectée ! Vous le laissiez mourir à petit feu !

La femme s'interposa en espagnol, parlant à toute vitesse : elle avait essayé de prendre soin de Dan, avait retiré la balle, nettoyé la blessure, mais n'avait rien pu faire contre l'infection. Elle l'avait nourri, lui avait concocté des thés aux herbes. Elle avait fait tout son possible !

Rafe posa sa main sur le front de Dan et ne fut pas surpris de le trouver brûlant de fièvre.

— Vous allez m'aider à le porter jusqu'à l'avion ! ordonnat-il à l'homme qui était resté derrière lui. Si vous tentez le moindre geste, je vous tue. Compris ?

L'homme acquiesça sans broncher.

Rafe lui fit signe de s'asseoir à côté du lit, de manière à garder un œil sur lui. Il s'assit à son tour et prit la main de Dan entre les siennes.

— Alors, c'est comme ça que tu m'accueilles, mon vieux ?

Dan ne réagit pas.

Rafe vérifia son pouls : il était faible et rapide, mais au moins il battait !

Il resserra le drap autour de Dan et fit signe à l'homme de l'aider. Ensemble, ils soulevèrent le blessé. La vieille femme se précipita vers la porte et la maintint ouverte.

A chaque pas qu'ils faisaient en direction de l'*hacienda*, Rafe priait pour que ce transport ne soit pas fatal à Dan. C'était un battant, il survivrait. Il fallait qu'il survive !

Ils arrivèrent enfin péniblement devant l'*hacienda*.

Pour la première fois depuis que Rafe avait surgi dans sa chambre, l'homme prit la parole :

— Nous pourrions le poser là pendant que je sors l'avion, proposa-t-il.

— Je viens avec vous, décréta Rafe. Nous allons chercher cet avion tous les deux et vous demanderez à vos hommes d'installer mon ami confortablement à l'intérieur. Si cela ne se passe pas comme prévu, sachez que vous ne reverrez plus jamais le soleil, *amigo*.

— Si j'avais voulu le tuer, fit l'autre en faisant mine de s'éloigner, il serait déjà mort.

Rafe lui attrapa le bras et le lui tordit derrière le dos.

— Pourquoi ne l'avez-vous pas ramené au ranch ? l'interrogea-t-il.

— J'en avais l'intention... une fois qu'il aurait été remis sur pied.

— Vous le connaissiez ? Vous aviez fait des affaires avec lui ?

129

— Je le pensais, jusqu'à ce qu'on me le ramène ici. Il n'est pas celui que je connaissais sous le nom de Dan Crenshaw. Je ne l'avais jamais vu avant, mais sa carte d'identité m'a prouvé que j'avais été trompé.

— Et vous aviez quand même l'intention de le laisser partir ? Quelle bonté !

— Je n'aime pas la violence, en dépit de ce que vous pensez. L'homme qui a tiré sur votre ami ne travaille plus pour moi.

— N'avez-vous pas peur de ce que Dan peut nous révéler à votre sujet ?

L'homme essaya de se redresser, mais la poigne de Rafe l'obligea à rester plié en deux.

— Personne ne peut rien prouver contre moi, déclara-t-il. Nous sommes au Mexique. Nous ne relevons pas de la compétence de vos autorités.

— Alors vous vous sentez en sécurité…

— Si tel n'était pas le cas, vous auriez été tué avant même d'avoir posé un pied dans mon avion !

— Vous savez comment je suis arrivé ici ?

— Ne me prenez pas pour un imbécile.

Rafe relâcha son étreinte, et l'homme frotta son bras endolori.

— Après réflexion, nous allons porter nous-mêmes Dan dans l'avion, décida Rafe. Et vous allez embarquer avec nous.

— Ce n'est pas nécessaire.

— Je crois que si.

— Si vous croyez que vous pouvez me retenir prisonnier, vous vous trompez lourdement.

— Tout ce qui m'intéresse, c'est de ramener Dan au Texas. Et je veux mettre toutes les chances de mon côté. Votre présence dans l'avion constitue une garantie.

130

L'autre haussa les épaules et marcha vers Dan, toujours inconscient. Ils le soulevèrent et suivirent le chemin qui menait à l'aérodrome.

Il n'y avait personne. L'avion était vide.

— Vous savez piloter un engin comme celui-ci ? s'enquit Rafe.

L'autre acquiesça.

— Alors installons Dan et préparez-vous. Assurez-vous qu'il y a assez de carburant…

C'est pendant que l'homme s'attelait à la préparation de l'avion que Dan ouvrit les yeux. Il regarda Rafe sans cligner des paupières.

— Alors, tu as finalement décidé de te réveiller ! le taquina ce dernier.

Dan ferma les yeux quelques secondes, puis les rouvrit.

— Rafe ? murmura-t-il en levant la main comme pour toucher son visage.

— Eh oui, c'est bien moi, sous toute cette peinture !

— Je croyais être mort et en enfer, marmonna Dan.

— Notre hôte a accepté de nous ramener au ranch. Tu es prêt à rentrer ?

Dan fit oui de la tête et referma les yeux.

Lorsque l'avion se posa, le soleil était déjà levé depuis plusieurs heures. Rafe n'avait pas dit un mot de plus à l'homme qui pilotait. Ils se comprenaient tous les deux sans avoir besoin de communiquer.

L'avion avait à peine fini de rouler que Rafe avait déjà soulevé Dan dans ses bras. Il ouvrit la porte, descendit de l'avion et courut jusqu'à la jeep sans un regard en arrière. Quand Dan fut installé à l'arrière de la jeep, Rafe entendit l'avion redécoller. Il s'installa au volant et roula à vive allure en direction du ranch.

Tom attendait devant la maison. Il avait dû voir l'avion manœuvrer. Comme Rafe freinait et s'arrêtait à sa hauteur, Tom se pencha et aperçut Dan allongé à l'arrière.

— Bon Dieu, s'exclama-t-il. Vous avez réussi !

Il paraissait ébahi.

— Dan doit voir un médecin au plus vite ! déclara Rafe. Emmenez-le à l'hôpital le plus proche pendant que je me change. Je vous rejoins tout de suite.

Il sauta de la jeep et courut vers la maison tandis que Tom lui criait le nom et la localisation de l'hôpital.

En entrant dans la maison, Rafe ralentit l'allure et s'efforça de marcher normalement.

Inutile… Il n'y avait personne.

Il se précipita sous la douche et ôta la peinture qui lui recouvrait le visage. Dix minutes plus tard, il était lavé, habillé et prêt à partir. Il prit le temps de laisser un mot à Mandy et monta à bord du *pick-up*.

Il retrouva Tom dans le hall de l'hôpital. Celui-ci l'accueillit avec un grand sourire.

— Ils ont nettoyé la blessure et ont mis Dan sous perfusion, annonça-t-il.

— Quelles sont ses chances ?

— Je ne sais pas. Ils s'occupent de lui, ils feront tout leur possible.

— A-t-il repris connaissance ?

Le sourire de Tom s'accentua.

— Oui ! Il m'a reconnu et a paru surpris de me voir. Puis il a demandé s'il avait eu des visions ou si c'était bien vous qu'il avait vu un peu plus tôt…

Rafe éclata de rire.

— Je crois que je lui ai fait une peur bleue !

Il regarda autour de lui.

— J'ai besoin d'un bon café.

— Allons à la cafétéria.

Une fois assis, Rafe reprit la parole :

— Où sont Mandy et Kelly ? Ils n'étaient pas à la maison...

Tom secoua la tête.

— Le gamin ne savait pas ce qui l'attendait quand il a été pris en main par Mandy !

— Que voulez-vous dire ?

— Elle a réussi à obtenir petit à petit des informations sur lui au cours de la semaine. Vous en a-t-elle parlé ?

— Non, nous n'avions pas réellement l'occasion de parler quand je revenais de mes heures de surveillance. Et puis Kelly était là, alors nous ne pouvions pas nous entretenir librement...

— Elle a réussi à lui faire dire où sa mère et lui avaient vécu, puis elle a pris contact avec les services sociaux d'aide à l'enfance qui lui ont appris le reste. Elle parle déjà de demander la garde du petit... Apparemment, étant donné sa profession, elle n'aura aucune difficulté à l'obtenir, si tant est qu'elle le ramène à Dallas avec elle.

— Sont-il partis faire des démarches ce matin ?

— Non, ils sont allés faire des courses.

— Des courses ?

— Oui... Elle a découvert que c'était l'anniversaire de Kelly la semaine dernière — vous aviez deviné, il a tout juste onze ans —, alors elle a eu envie de lui acheter quelques vêtements en guise de cadeau d'anniversaire. Le reste, Kelly se le paiera avec son salaire.

— Je vois.

— Mandy est une femme formidable.

— En effet.

— Qu'allez-vous faire d'elle ?

Rafe, qui buvait son café, fronça les sourcils et écarta la tasse de ses lèvres.

— Je ne suis pas responsable d'elle !

Il but une autre gorgée de café et soupira.

— … Dieu merci ! ajouta-t-il.

— Elle est amoureuse de vous, affirma Tom.

Diable, ce type n'y allait pas par quatre chemins !

— C'est faux, répliqua-t-il. Nous sommes juste de vieux amis.

— Je connais Mandy depuis un certain temps, moi aussi. J'ai vu comment elle vous regarde, la façon dont elle vous parle…

Rafe secoua la tête.

— Quoi que vous en disiez, vous avez tort. Et puis, me voyez-vous marié ?

Il rit, mais son rire sonna faux.

— En plus, maintenant, elle demande la garde de Kelly ! ajouta-t-il. Elle va avoir besoin de trouver un bon père, un homme qui sera un exemple pour ses enfants. Et ce ne sera certainement pas moi !

— Si vous le dites…

— Allons, trêve de plaisanteries ! Je vais voir Dan.

Quand il pénétra dans la chambre, celui-ci dormait à poings fermés.

Rafe n'en prit pas ombrage. Il avait juste envie de rester assis là, à regarder son ami… vivant ! Il prit place dans le fauteuil près du lit et appuya sa tête contre le dossier.

Un jour de plus, deux peut-être, et les médecins n'auraient pas été en mesure de sauver Dan.

Déjà, il avait repris des couleurs, sa respiration était calme…

Rafe, lui, décompressait.

Cette mission avait été particulièrement difficile, car il lui avait fallu rester concentré sur son objectif sans laisser ses sentiments le trahir. Une fois seulement il avait perdu sa concentration : dans le cimetière, il avait été à deux doigts de tuer l'homme qu'il soupçonnait d'avoir assassiné Dan...

Il fut tiré de son sommeil quelques instants plus tard par la voix de Mandy. Ouvrant les yeux, il découvrit la jeune femme assise sur le bord du lit, serrant son frère dans ses bras.

— Oh Dan, j'ai eu tellement peur de t'avoir perdu ! chuchotait-elle.

Rafe s'étira, se leva et vint se poster de l'autre côté du lit.

Dan le vit et lui tendit la main.

— Tu peux remercier Rafe, Mandy. Enfin, c'est ce qu'on m'a dit, car je ne me souviens pas de grand-chose.

Mandy jeta un coup d'œil intense à Rafe, puis reporta son attention sur son frère.

— Que t'est-il arrivé ? Pourquoi es-tu à l'hôpital ?

— Oh, c'est une blessure qui s'est infectée, expliqua Dan. Rien de grave.

Son regard allait sans cesse de Rafe à Mandy.

— Je n'arrive pas à croire que vous soyez là tous les deux ! J'ai également du mal à croire que je suis à l'hôpital d'Austin. Je ne sais pas comment j'ai atterri ici depuis l'endroit où je végétais au Mexique !

— Rafe t'a trouvé et t'a ramené, dit Mandy avec un sourire affectueux.

— Alors comme ça, tu joues au héros, Rafe, le taquina Dan en lui serrant la main. Et toi, Mandy, depuis quand es-tu au ranch ? Je croyais que tu ne prenais tes vacances que le mois prochain...

— Parce que tu crois que j'aurais pu travailler normalement alors que tout le monde ignorait ce qui t'était arrivé ! s'écria sa sœur.

— C'est toi qui as prévenu Rafe de ma disparition ?

— Elle n'a pas eu besoin de le faire, intervint Rafe. Ta lettre m'est finalement parvenue et je suis arrivé aussi vite que possible. De toute évidence, il était plus que temps !

Dan lui sourit avec reconnaissance.

— Je suis tellement heureux de te voir ici.

— Moi aussi.

— Dan, coupa Mandy. Il y a quelqu'un dans le couloir qui aimerait te rencontrer. Cela t'ennuierait-t-il que je le fasse entrer ?

— Ne me dis pas que tu es de nouveau fiancée ! C'est incroyable, si je ne te surveille pas de près, tu te mets dans des situations !

La jeune femme baissa les yeux sur ses bras croisés.

— Eh bien en fait, je lui ai proposé de vivre avec moi...

Dan écarquilla les yeux.

— Mais bon sang, Mandy, tu perds la tête ! Depuis combien de temps le connais-tu ?

— Peu de temps. C'est Rafe qui me l'a présenté...

Dan les regarda comme s'ils avaient tous les deux perdu l'esprit.

— J'attendais mieux de toi, Rafe. Vraiment ! En mon absence, tu aurais dû veiller sur Mandy au lieu de l'encourager à convoler avec le premier venu !

Rafe tapota la main de Dan.

— Avant de t'emballer, je crois que tu devrais le rencontrer.

— D'accord, vas-y, Mandy. Amène-le !

Mandy disparut et revint quelques secondes plus tard, tout sourire.

Lorsque Kelly apparut sur le seuil, Rafe et Dan laissèrent échapper ensemble une exclamation de surprise.

Le jeune garçon avait beaucoup changé. Il s'était fait couper les cheveux et portait une chemise en chambray, un jean neuf et des bottes de *cow-boy*. Il se précipita vers Rafe, les yeux brillants.

— Regarde mes bottes, Rafe ! s'exclama-t-il. Mandy me les a achetées pour mon anniversaire !

— Elles sont très chic, mon garçon. J'ai comme l'impression que tu es fin prêt pour monter à cheval.

— Tom a promis qu'il m'apprendrait à monter, mais je dois d'abord savoir m'occuper d'un cheval.

Il s'interrompit en apercevant Dan.

— Bonjour, murmura-t-il, soudain intimidé.

Rafe fit les présentations.

— Dan, je te présente Kelly. C'est lui qui m'a aidé à te retrouver…

Dan fixait Kelly depuis qu'il avait pénétré dans la chambre, éberlué. Il considéra tour à tour Rafe et Mandy et secoua la tête.

— Vous m'avez bien eu tous les deux !

— C'est toi qui as tiré des conclusions hâtives ! riposta Mandy. Nous nous sommes contentés de ne pas te détromper.

— Alors c'est toi, Kelly ? reprit Dan. Je suis ravi de te rencontrer.

Il lui tendit la main. Kelly la prit avec précaution et la serra.

— Je les ai vus vous tirer dessus, dit-il d'une toute petite voix.

— Quoi ! s'exclama Mandy. On t'a tiré dessus, et personne ne m'a mise au courant !

137

— Ce n'était pas grave… jusqu'à ce que la blessure s'infecte, expliqua Dan. Mais maintenant, tout va bien.

Mandy lança à Kelly un regard de reproche.

— Tu le savais et tu ne m'as rien dit…

— C'est moi qui lui ai demandé de se taire, intervint Rafe. Je ne voulais pas t'inquiéter.

Dan reporta son attention sur Kelly.

— Où te trouvais-tu ce soir-là ? Il n'y avait personne aux alentours.

— J'ai tout vu depuis la corniche.

— Et tu n'as prévenu personne ?

Kelly baissa la tête.

— Non, monsieur. J'avais peur, car je n'étais pas censé être là.

— Mais depuis combien de temps étais-tu dans les parages ?

Le gamin haussa les épaules.

— Je ne sais pas… Un bon bout de temps…

— Kelly vivait dans une grotte, expliqua Rafe. C'est là que je l'ai trouvé.

— Dans une grotte ? répéta Dan, interloqué.

Kelly se tourna vers Rafe.

— Tu sais quoi ? Mandy m'a dit que je pouvais aller vivre avec elle à Dallas ! Elle connaît les gens du foyer. Elle leur a parlé et ils sont d'accord pour qu'elle soit responsable de moi !

— C'est très généreux de sa part.

— Oui. Je lui ai proposé de l'aider à payer ses factures si je trouve un travail, mais elle veut que j'aille à l'école. A Dallas, il n'y a pas de ranch où je pourrais me faire embaucher…

— Peut-être Dan te laissera-t-il travailler dans son ranch pendant l'été.

— Et toi, Rafe, tu seras là ? s'enquit Kelly.

— Non. Moi, je vais reprendre mon travail à l'étranger.

Kelly se rembrunit.

— Ah…

— Nous allons devoir laisser Dan se reposer, intervint Mandy. Sais-tu quand tu seras en mesure de rentrer à la maison ? demanda-t-elle à son frère.

Celui-ci grimaça.

— Quand ma température aura baissé.

— Je resterai au ranch jusqu'à ce que tu ailles mieux, assura-t-elle.

— Et toi ? fit Dan en se tournant vers Rafe.

— Cela dépend de toi. Souviens-toi de la lettre que tu m'as envoyée…

— Nous en reparlerons dès ma sortie.

— O.K., conclut Rafe. Kelly, veux-tu rentrer au ranch avec moi, *cow-boy* ? Tom a sûrement mille choses à te faire faire.

Kelly rajusta son jean sur ses hanches.

— Je suis prêt, décréta-t-il avec une once de fanfaronnade.

Quand ils eurent pris congé de Dan, Kelly lui saisit la main, et ils sortirent tous deux de la chambre.

Mandy sentait les yeux de son frère posés sur elle.

Elle se retourna pour lui faire face, un sourire aux lèvres.

— J'ai eu tellement peur pour toi, tu sais ! Quand j'ai trouvé le mot de Rafe me disant que tu étais à l'hôpital, je ne savais que penser !

Elle prit sa main entre les siennes.

— Es-tu certain que tout va bien ?

— Je serai bientôt sur pied, ne t'inquiète pas.

Il remua, dans l'intention évidente de changer de sujet.

— C'est bon de revoir Rafe, n'est-ce pas ? Ça faisait si longtemps…

— Oui.

— Il paraît en forme.

— Oui.

— Et tu es toujours amoureuse de lui.

Elle se figea et lui lâcha la main.

— Ne dis pas de bêtises !

— Tu crois que je n'ai rien remarqué ? J'étais sur ce lit, entre vous deux. C'est une chance que je n'aie pas été électrocuté avec toute l'électricité qui passait entre vous !

Mandy posa sa main sur le front de son frère.

— C'est bien ce que je pensais… Tu as de la fièvre et tu délires ! Rafe est un ami, tu le sais parfaitement.

Dan soupira et ferma les yeux.

— Pour moi, c'est un ami, en effet. Il m'a sauvé la vie.

— Je lui serai toujours reconnaissante pour ça.

— Alors pourquoi n'essaies-tu pas de le convaincre de rester ici et de t'aider à élever ce gosse, Mandy ?

Elle ne put retenir ses larmes.

Toute la tension accumulée ces derniers jours avait soudain raison de sa maîtrise d'elle-même.

— Mais tu n'imagines pas Rafe vivant aux Etats-Unis, gémit-elle.

— Et pourquoi pas ? Une fois qu'il aura réglé leur compte à ses démons, je ne vois pas ce qui pourrait l'en empêcher ! Ne vois-tu pas que cet homme a besoin d'un foyer, d'une famille ? Regarde son attitude envers Kelly. D'ailleurs, le gamin le regarde comme un héros. Il imite même sa façon de marcher ! Tu as remarqué ?

Les larmes de Mandy continuaient de couler tandis qu'elle riait malgré elle.

— Oui, j'ai vu.

— Alors qu'attends-tu, sœurette ? Vas-tu le laisser ressortir de ta vie comme il y a douze ans sans lui faire savoir ce que tu ressens ?

— Je l'aime suffisamment pour vouloir son bonheur. Et il semble heureux avec la vie qu'il mène.

— Parce que c'est la seule vie qu'il connaît ! Il est seul, et il a l'impression que c'est son destin. C'est à toi de lui montrer qu'il peut espérer autre chose !

— J'essaierai…

— Pas de ça ! Si tu essaies seulement, tu vas échouer. N'essaie pas, *fais*-le ! De toutes tes forces. Je ne suis pas aveugle, Mandy. Rafe t'aime tellement que ça le ronge. Tu dois le convaincre qu'il est capable d'être un bon mari et un bon père. Car pour l'instant, il n'en a tout simplement pas idée !

Mandy sourit.

— Comment peut-il être si aveugle ?

— Parce qu'en lui, il y a encore ce gamin malmené et dévalorisé par son père. Rafe a eu besoin d'une période de solitude pour comprendre que son père avait tort. Maintenant, c'est à toi de l'aider à franchir la prochaine étape…

11.

La maison était calme quand Mandy arriva au ranch. Tout était comme elle l'avait laissé le matin, sauf dans la chambre de Dan.

Elle y trouva Rafe allongé en travers du lit, dormant à poings fermés.

Il avait bien mérité de se reposer. A l'hôpital, elle avait remarqué les cernes de fatigue autour de ses yeux. Bien sûr, elle avait hâte d'en apprendre un peu plus sur le sauvetage de Dan, mais elle était disposée à patienter. En attendant, elle allait concocter un repas substantiel pour ses hommes...

Quand Kelly se présenta pour le dîner, Rafe n'avait toujours pas donné signe de vie.

— Salut ! fit Kelly. Je suis allé garder le bétail avec Tom. C'était marrant. Il y a vraiment plein de choses à faire !

— C'est vrai. Tu as faim ?

Le petit jeta un coup d'œil à ses vêtements poussiéreux.

— Je devrais peut-être me changer d'abord.

— Bonne idée ! Et quand tu seras prêt, tu iras dire à Rafe que le repas est servi.

— Il dort ? s'étonna Kelly en regardant la pendule.

— Tu sais, il n'a pas dormi de la nuit. Et puis, j'ai comme l'impression que ta grotte n'est pas un endroit vraiment confortable pour se reposer...

Il sourit.

— Pas aussi confortable qu'un lit, ça c'est sûr !

Mandy termina de mettre la table et sortit la viande du four. Elle aimait faire la cuisine, et surtout qu'on y fasse honneur. C'était tellement ennuyeux de cuisiner pour elle seule... Vivement que Kelly vienne vivre avec elle !

Elle se remémora la conversation qu'elle avait eue avec Dan. « N'essaie pas, avait-il dit. Fais-le ! » Il fallait qu'elle prouve à Rafe qu'il avait besoin d'une famille.

Oui... mais comment ?

Elle entendit des voix et sut que l'objet de ses pensées était réveillé.

— Pourquoi ne m'as-tu pas réveillé plus tôt ? lui reprocha Rafe, l'air gêné, en surgissant dans la cuisine, Kelly sur les talons. Je n'avais pas besoin de dormir autant.

— Parce que je crois que ton corps, lui, pensait le contraire ! Tu étais sous pression depuis plusieurs jours. Une fois Dan libéré, tu avais grand besoin de te reposer un peu.

Elle fit un signe de tête vers la table.

— Asseyez-vous, c'est prêt.

Pendant tout le dîner, elle observa Rafe et Kelly. Rafe écouta patiemment les explications interminables du jeune garçon au sujet de tout ce qu'il avait fait et pensé depuis la dernière fois qu'il l'avait vu, c'est-à-dire... depuis la veille ! Rafe écoutait d'une oreille bienveillante, posant une question par-ci par-là, aidant le petit à trouver un mot.

Kelly avait-il déjà eu une figure masculine dans sa vie ? Et quelle sorte de femme avait été sa mère ? Etait-elle du genre à batifoler d'un homme à un autre ? A moins que son expérience avec le père de Kelly ne l'ait dissuadée de se lancer dans d'autres relations amoureuses...

Elle ne le saurait probablement jamais. Kelly lui avait beaucoup parlé de sa mère, mais sans jamais mentionner

d'homme. Il était à craindre que le départ de Rafe ne boule-
verse le jeune garçon…

— N'est-ce pas, Mandy ? fit celui-ci en la regardant, comme
s'il quémandait son assentiment.

— Je suis désolée, Kelly, je n'ai pas entendu.

— Hein que tu m'as dit que lorsque nous serions à Dallas,
je pourrais avoir un chien comme Ranger ?

— Oui, enfin pas exactement comme Ranger. C'est un gros
chien, et les gros chiens n'aiment pas vivre en appartement.
Ils ont besoin de beaucoup de place pour jouer et courir.

— Comme les petits garçons, ajouta Rafe calmement.

— Tu as raison. Peut-être devrais-je penser à déménager
et à trouver une maison avec une cour…

Rafe lui sourit et se remit à manger.

A la fin du dîner, Kelly piquait du nez sur la table.

— Pourquoi n'irais-tu pas te coucher, mon garçon ? proposa
Rafe. Le jour se lève tôt, tu sais !

Les paupières lourdes, Kelly hocha la tête. Il descendit de
sa chaise et marcha directement vers la porte.

— Bonne nuit, Mandy. Bonne nuit, Rafe.

Après avoir débarrassé la table, Mandy suivit Rafe dans le
salon où il avait pris l'habitude de regarder les informations
télévisées. Elle s'assit sur le sofa avec lui et attendit la pause
publicitaire pour reprendre la conversation.

— As-tu remarqué que Kelly semble éviter tout contact
physique ?

Rafe lui jeta un coup d'œil furtif.

— Oui, j'ai remarqué.

— J'aimerais tant le prendre dans mes bras…

— Cela viendra, sois patiente. Pour l'instant, il garde ses
distances et il faut le respecter. Il pense que cela le protège…

144

Mais tu sais, tu as accompli des miracles avec lui. Il n'a plus rien à voir avec le petit garçon renfermé que j'ai trouvé dans cette grotte ! Tu es douée avec les enfants. Mais j'imagine que tu le sais déjà, sinon tu n'aurais pas choisi le métier que tu exerces.

— Oui, en effet, concéda-t-elle en souriant. Bon, maintenant que tu es reposé, je voudrais que tu me racontes exactement comment tu as fait.

— Comment j'ai fait quoi ?

— Pour trouver Dan.

— Je me suis fait emmener là où il était et je l'ai ramené. Point à la ligne.

— Arrête un peu ! Ces gens qui lui ont tiré dessus, ils devaient être dangereux !

— Je suppose…

— As-tu eu des difficultés avec eux ?

— Non.

— Tu es juste arrivé, la bouche en cœur, et reparti avec Dan sous le bras !

— Exactement.

Mandy éclata de rire.

— Oh Rafe, à qui veux-tu faire croire ça ?

Prise d'une soudaine impulsion, elle se pencha et l'embrassa. Rafe l'attira sur ses genoux et lui rendit langoureusement son baiser. Mandy commença à jouer avec les boutons de sa chemise pour pouvoir le toucher.

— Tu m'as manqué, murmura-t-elle entre deux baisers. Tu m'as tellement manqué…

Il la fixa avec incrédulité.

— Tu m'as vu tous les jours !

— Mais je ne pouvais pas te toucher ! Kelly était tout le temps là ! Parfois, dans la journée, j'entrais dans ta chambre pour te regarder dormir. Il m'a fallu beaucoup de volonté pour ne pas me glisser dans le lit et te réveiller…

— Peut-être pourrais-tu me montrer maintenant ce que tu avais en tête, murmura-t-il.

Il se leva pour éteindre la télévision et lui tendit la main.

Comme chaque fois qu'elle était avec Rafe, Mandy perdit toute conscience d'elle-même. Grâce à lui, elle avait découvert sa sensualité et comment s'en servir. Elle s'appliqua à le satisfaire, à le faire chavirer de plaisir. Ils jouirent ensemble dans une explosion des sens, oubliant tout ce qui n'était pas eux, puis restèrent allongés dans l'obscurité, les membres emmêlés.

Mandy reposait, l'oreille contre la poitrine de Rafe, écoutant les battements réguliers de son cœur. Il n'y avait pas un autre endroit où elle aurait préféré être.

Pour la première fois depuis longtemps, elle se sentait en paix : son inquiétude pour Dan s'était envolée, elle se trouvait dans les bras de l'homme qu'elle aimait, et maintenant elle avait un petit garçon à qui elle allait pouvoir donner de l'amour.

— Mandy ?

— Oui…

— Dan ne reviendra probablement pas au ranch avant une semaine…

— Je sais.

— Je pense partir demain matin pour quelques jours.

— Oh…

— Il y a une ou deux choses que je dois absolument faire.

— Bon.

— Je veux que tu saches à quel point j'ai aimé être avec toi...

— J'en suis heureuse.

— Tu es l'une des personnes les plus généreuses que j'aie jamais connues.

— Merci.

— Tu mérites tellement de choses. Un homme, une famille aimante...

— Et toi, Rafe, que mérites-tu ?

— J'ai ce que je mérite. Une vie correcte.

— Et tu ne veux pas plus que ça ? Tu ne souffres jamais de la solitude ?

Il ricana.

— Je suis bien trop égoïste pour me sentir seul !

— Tu te sous-estimes... Tu n'as peut-être pas envie d'entendre ça, Rafe McClain, mais j'aime chacun de tes traits de caractère, les bons comme les mauvais ! Tu es dur, c'est vrai, mais tu peux aussi être un homme très doux, très gentil...

— Cela fait beaucoup de contradictions.

— Peut-être, mais elles font l'homme que j'aime !

— Je ne t'ai pas demandé de m'aimer, Mandy.

— Je le sais, mais je ne peux m'en empêcher. C'est comme une maladie grave : elle pénètre dans ton sang et ne te quitte plus.

— Je n'en crois pas mes oreilles ! s'esclaffa Rafe. Tu me compares à une maladie incurable ! Tu sais comment amadouer un homme, toi !

Mandy lui mordilla le lobe de l'oreille.

— Je n'ai jamais prétendu être romantique...

— En effet. Mais tu l'es, ma chérie. Dans chaque parcelle de ton corps magnifique.

Mandy fit courir sa main le long du torse de Rafe et s'attarda sur un endroit plus intime.

— Tu trouves que mon corps est magnifique ?

— Hum…

Rafe prit l'un de ses seins dans sa paume et titilla de son pouce la pointe dressée.

— Tu m'excites plus qu'aucune autre femme. Quand tu es dans les parages, je suis toujours dans un état proche de l'explosion.

— Cela explique pourquoi tu t'enflammes aussi facilement !

— Tu peux parler !

La flamme dont il était question les embrasa de nouveau et les emporta dans sa chaleur.

Mandy n'avait plus la force de lutter contre ses sentiments. Rafe était l'homme de sa vie, celui qui avait toujours été dans son cœur. Elle ne pouvait rien lui refuser.

Lorsqu'elle se réveilla le lendemain matin, il n'était plus là.

Au moins, se dit-elle, il l'avait prévenue, c'était déjà ça. Il n'avait pas tout simplement disparu dans la nuit.

Elle remarqua qu'il avait pris le *pick-up* : il allait donc revenir. Il avait parlé de quelques jours d'absence…

En attendant, elle devait prendre ses affaires en main.

Ainsi, il lui fallait prendre une décision concernant son travail. Maintenant qu'elle allait avoir la charge de Kelly, elle avait plus que jamais besoin d'un salaire ! Mais peut-être existait-il des possibilités d'exercer sa profession autrement qu'en milieu urbain ?

Elle appela son bureau et expliqua ce qui était arrivé à son frère. Elle prit également rendez-vous avec les services compétents afin de faire avancer sa demande d'adoption.

12.

Il fallut à Rafe plus de temps qu'il ne l'avait pensé pour arriver au but de son voyage.

Il était d'abord allé au sud, jusqu'à Corpus Christi, puis à l'est, jusqu'à Beaumont, et même au nord à Tyler, suivant une piste qui, chaque fois, le menait ailleurs. Enfin, il arriva dans une petite ville de l'est du Texas appelée Eden.

Il gara le *pick-up* de Dan devant une coquette maison jumelée.

L'endroit était simple mais charmant. La pelouse était tondue et des fleurs marquaient la limite de l'allée menant à la véranda, elle-même agrémentée de paniers de fleurs.

Rafe fit une pause devant la porte et regarda autour de lui. Le quartier était calme, de grands arbres projetaient leur ombre sur les trottoirs. On aurait presque dit un décor de film...

Il frappa et attendit. Le bruit d'un pas léger précéda l'ouverture de la porte. Une petite femme à la chevelure sombre striée de mèches grises apparut.

— Oui ? fit-elle en souriant.

Rafe n'avait pas cherché à imaginer ce qu'il ressentirait à cette étape de sa quête. En fait, il ne s'était pas attendu à ressentir quoi que ce soit. Ce qui prouvait à quel point il se connaissait mal !

Il resta immobile, cherchant quelque chose à dire. N'importe quoi.

Quand sa gorge lui permit enfin de déglutir, il murmura :

— Bonjour, maman...

La femme le dévisagea, pétrifiée. Elle porta la main à sa gorge.

— Raphael ? souffla-t-elle. C'est toi ?

— C'est bien moi, maman, confirma-t-il en luttant contre l'émotion qui montait en lui. Tu as l'air en forme...

Ils se contemplèrent en silence. Un mètre et seize ans les séparaient. La moitié de la vie de Rafe...

Elle ouvrit tout grand la porte :

— Entre, lui dit-elle d'une voix étranglée.

Rafe pénétra dans une pièce qui lui parut familière et étrangère à la fois. Il reconnaissait certains objets, mais la plupart des meubles étaient neufs. En tout cas, l'intérieur de la maison était confortable et soigné.

Il resta au milieu de la pièce et tourna lentement sur lui-même, comme pour en apprivoiser chaque détail.

— As-tu mangé ? s'enquit sa mère.

Il sourit.

— Oui, maman, mais je prendrai volontiers une tasse de café.

Elle fit un geste vers le vaste sofa.

— Assieds-toi, je vais t'en préparer.

Rafe la regarda s'éloigner, le dos droit, gracieuse dans sa robe fleurie. De toute évidence, elle n'avait rien perdu de sa dignité... Il pensa la suivre pour lui proposer son aide, mais il craignait que ses jambes ne parviennent pas à le porter.

Sa mère apporta quelques minutes plus tard un plateau avec deux tasses fumantes. Elle le posa sur la petite table et prit place sur le sofa à côté de lui.

— Tu es tellement grand, observa-t-elle, tandis que son regard se promenait avidement sur lui. Si tu ne me l'avais pas dit, jamais je ne t'aurais reconnu !

— Moi, je t'aurais reconnue dans n'importe quelle circonstance, maman. Tu es toujours aussi belle…

Elle rougit.

— J'ai tant de choses à te demander, murmura-t-elle, à t'expliquer. Je ne suis pas sûre…

Elle s'interrompit, comme si elle se rendait compte à quel point il était vain de tenter de combler toutes ces années perdues.

— Je me suis souvent demandé si tu étais encore vivant, reprit-elle. Tu étais si jeune et si…

— En colère ? termina Rafe.

Elle hocha la tête affirmativement.

— Où es-tu allé quand tu as quitté la maison ?

— Je suis retourné dans la région d'Austin. J'y ai retrouvé un camarade de classe de Wimberley. Sa famille m'a engagé pour travailler dans son ranch. Je suis retourné à l'école jusqu'à mon bac…

Le visage de sa mère s'éclaira.

— Comme je suis heureuse que tu aies pu aller à l'école !

Rafe regardait les photos qui décoraient la pièce. Elles représentaient de belles jeunes femmes souriantes qu'il identifia comme ses sœurs.

— Parle-moi de Carmen et Selena. Où sont-elles maintenant ?

— Elles vivent aussi à Eden. Carmen s'est mariée il y a six ans. Son mari est de la région. Ce sont eux qui m'ont acheté cette maison, il y a deux ans. A l'époque, Selena et moi vivions à Corpus Christi. Selena, quant à elle, a rencontré un cousin de Timothy — le mari de Carmen — et elle l'a épousé il y a six mois.

— Alors tu as fini par quitter papa…

Elle ne répondit pas tout de suite. Quand elle parla, la réponse qu'elle lui fournit le laissa bouche bée.

— Ton père a été tué dans un accident de voiture, lui apprit-elle. Il était passager du véhicule que conduisait son collègue de travail. Un camion leur a coupé la route. Ils ont été tués sur le coup.

Rafe resta silencieux plusieurs secondes.

Curieusement, il n'arrivait pas à identifier l'émotion qu'il ressentait à l'annonce de cette nouvelle.

— Quand cela est-il arrivé ? demanda-t-il.

— Cela fera dix ans en mai.

Il réfléchit. Son père était donc mort alors que lui-même avait vingt ans ! Il était mort pendant que lui était à l'étranger et continuait de le haïr. C'était ce ressentiment tenace envers son père qui l'avait tenu éloigné de sa mère et de ses sœurs. Il avait porté cette haine en lui pendant toutes ces années, alors que l'objet de cette haine n'existait plus… Quel gâchis !

— Vous avez dû emménager à Corpus Christi peu de temps après mon départ, murmura-t-il.

— L'année suivante, confirma sa mère.

Elle gardait son regard fixé sur ses mains croisées.

— Après ton départ, ton père a beaucoup changé, reprit-elle. Il avait conscience que son comportement était répréhensible, mais tu sais comment il était quand il buvait… Il s'est renfermé sur lui-même, comme si plus rien n'avait d'importance.

Ses yeux s'embuèrent.

— J'ai essayé de te retrouver, murmura-t-elle, mais je ne savais pas où chercher.

— Moi, je croyais que tu savais où j'étais mais que tu n'en avais rien à faire.

152

Elle laissa échapper un gémissement.

— Oh, Raphael ! Comment as-tu pu penser une chose pareille ! Nous tenions à toi !

Rafe se frotta le menton, désabusé.

— Je n'aimais pas la façon dont papa me montrait qu'il tenait à moi ! railla-t-il.

— Je sais, il n'aurait jamais dû te traiter de la sorte…

— Amen !

— Je suis désolée que tu sois si amer.

— Et moi, je suis désolé d'avoir eu un tel homme pour père.

— Tu éprouves toujours de la colère envers lui ?

— Oui, elle est toujours en moi.

Sa mère se leva et se dirigea vers la cheminée sur le manteau de laquelle trônaient d'autres photos.

— Je ne suis pas non plus satisfaite de ma vie, tu sais, avoua-t-elle. J'ai eu de nombreuses années pour réfléchir à mon manque de courage. j'aurais dû m'opposer à lui, quand il te battait…

Elle se retourna pour faire face à Rafe.

— J'ai perdu mon fils, ce qui était très cher payé pour ma faiblesse.

— Moi, j'ai perdu ma famille.

— Oui, mais partir était ton propre choix. Je suis désolée de la façon dont ton père t'a traité. Lorsqu'il buvait, il devenait une autre personne. Je t'assure que ton départ l'a beaucoup affecté. Il savait que je lui en voulais énormément. Et je m'en voulais à moi aussi.

Rafe secoua la tête.

— Tu n'y pouvais pas grand-chose… Tu sais, je n'ai pas oublié la façon dont il te traitait quand j'étais petit. Quand j'ai grandi, j'ai pensé qu'il valait mieux que je lui serve de *punching-ball*, plutôt que toi et mes sœurs.

Il détourna le regard.

— Et puis j'ai réalisé que si je restais, l'un des deux finirait par tuer l'autre… Alors, j'ai préféré partir. J'espérais qu'il ne se retournerait pas contre toi ou les petites.

— Il ne l'a pas fait, rassure-toi.

— Je suis soulagé de l'entendre.

Rafe essayait de se rappeler son père quand il était sobre, mais il avait du mal à se souvenir d'autre chose que de ses colères alcoolisées. Pourtant, peu à peu, lui revenaient d'autres images : son père jouant avec lui, l'emmenant pêcher…

Il se secoua.

— C'est étrange de remuer ainsi le passé. Je m'étais tellement appliqué à l'oublier.

— Le passé est le passé seulement quand il n'a plus d'influence sur la façon dont tu vis aujourd'hui.

— Je regrette d'être resté si longtemps éloigné, maman.

— Moi aussi, Rafe, je le regrette.

Rafe s'approcha de sa mère et la prit dans ses bras. Quand il la relâcha et recula pour mieux la contempler, le visage de celle-ci était inondé de larmes.

— Tu es aussi grand que ton père, dit-elle en souriant. Il serait si fier de voir ce que tu es devenu.

— Pourras-tu me pardonner de ne pas avoir repris contact plus tôt, maman ?

— Tu t'es puni toi-même bien plus que tu ne le méritais ! Il est temps pour toi d'oublier ta haine et d'accepter l'amour qui t'attend depuis toutes ces années. Bienvenue à la maison, Raphael.

Deux semaines après avoir quitté le ranch Crenshaw, Rafe arriva dans la cour, le sourire aux lèvres.

Il aimait cet endroit où il avait passé les quatre années parmi les plus formatrices de sa vie. Il venait de réaliser que tout était question de perspective : tout son monde avait changé, dorénavant il ne regarderait plus la vie de la même façon.

Il était impatient de retrouver Mandy pour lui raconter tout ce qui lui était arrivé depuis qu'il l'avait laissée.

Comme il garait le *pick-up,* il vit Tom sortir des écuries.

Il lui fit un geste de la main. Tom vint à sa rencontre, et les deux hommes se serrèrent la main.

— C'est bon de vous revoir, dit le contremaître.

Rafe sourit.

— Je suis content d'être de retour. J'espère que Dan est là.

Oh oui ! Les infirmières ont supplié le médecin de le renvoyer chez lui. Il les faisait tourner en bourrique !

Rafe éclata de rire.

— Dan n'est pas un patient facile. Mais je ne le suis pas non plus ! J'imagine que Mandy s'occupe de lui...

Tom se gratta la tête, embarrassé.

— A vrai dire, c'était le cas jusqu'à il y a trois jours. Mais Mandy et Kelly sont partis pour Dallas. Mandy a expliqué qu'elle avait des choses à organiser pour leur nouvelle vie.

Rafe tenta de dissimuler sa déception.

— C'est normal, après tout, déclara-t-il. Dan étant guéri, Mandy n'avait plus de raison de rester ici...

Tom lui donna une bourrade.

— Dan sera ravi de vous revoir !

Rafe sortit son sac du coffre et marcha vers la maison.

A quoi s'était-il attendu, après tout ? Il n'avait fait aucune promesse à Mandy... Elle avait repris sa vie, une vie dans laquelle il n'avait pas sa place.

Il ouvrit la porte de la cuisine et, guidé par le son de la télévision, se dirigea vers le salon où il trouva Dan vautré dans le sofa, la télécommande à la main.

— Tu n'as rien de mieux à faire en plein milieu d'après-midi que de regarder la télévision ? le taquina-t-il.

Dan se fendit d'un large sourire.

— Ah, te voilà, toi ! Il était temps que tu reviennes !

— T'apprêtais-tu à déclarer ton *pick-up* volé ?

— J'avais oublié que tu avais emprunté mon *pick-up* ! admit Dan en riant. Assieds-toi donc et tiens-moi compagnie !

Rafe obtempéra.

— Tu as l'air en forme, commenta-t-il. Comment va ton épaule ?

— En bonne voie de guérison.

— Tu as de la chance de ne pas avoir perdu ton bras avec cette infection.

— Le médecin m'a dit la même chose. Alors je prends mon mal en patience en me disant que j'ai eu beaucoup de chance.

Du menton, il désigna son téléphone portable.

— En fait, j'ai recommencé à travailler en attendant de pouvoir me déplacer.

— Es-tu prêt à me raconter ce qui s'est passé ?

Dan fronça les sourcils.

— J'ai raconté à la police tout ce que je savais et j'attends leurs conclusions.

— Dis-moi quel est le nom de l'homme qui nous a ramenés au ranch.

— Carlos Felipe Cantu. D'après ce que je sais, ce n'est qu'un intermédiaire. Il effectue le transport des produits contre une commission importante.

— Quel genre de produits ?

— Cela dépend du marché. En ce moment, les produits de haute technologie sont très recherchés. Quelqu'un dans la région aide à répondre à cette demande...

— Tu as une idée de qui ?

— Malheureusement pas.

— James Williams, peut-être ?

Dan le fixa, interloqué.

— James ? répéta-t-il. Mon associé ? Tu plaisantes !

— Je regrette de devoir te décevoir, mais il n'a pas semblé beaucoup se soucier de ta disparition. Cela m'a paru curieux, étant donné les circonstances.

Il considéra Dan pendant plusieurs secondes avant de poursuivre son interrogatoire.

— Que faisais-tu sur cette piste d'atterrissage à une heure aussi tardive ?

— Un de mes clients de Dallas m'avait donné rendez-vous à cette heure. Il avait l'intention d'atterrir après sa journée de travail. Je lui avais dit que je l'attendrais avec la jeep.

— Et il ne s'est jamais montré...

— Non. J'ai appris pendant que j'étais à l'hôpital qu'il avait essayé de me téléphoner pour me faire savoir qu'il ne pourrait pas venir. Mais il n'a pas pu me joindre.

— Donc, tu étais là-bas, tu as attendu et...

— Et un avion s'est posé. Mais le pilote n'a pas coupé le moteur. Deux hommes sont descendus.

— Tu leur as parlé.

— Oui. Je leur ai dit qu'ils n'avaient rien à faire sur mes terres. Le ton est monté, on a commencé à se battre et... et je ne me souviens plus de ce qui s'est passé. Je me rappelle avoir ressenti une violente douleur à l'épaule. Et puis plus rien...

— Un instant, l'interrompit Rafe. Je vais chercher du café. Ton histoire devient de plus en plus intéressante.

— Allons dans la cuisine, proposa Dan. J'en ai assez de rester ici.

Il éteignit la télévision et prit son téléphone portable avec lui.

Une fois assis devant une bonne tasse de café fumante, Rafe reprit son interrogatoire :

— De quoi te rappelles-tu ensuite ?

— Je me suis réveillé dans une petite maison. Une femme me bandait l'épaule. Carlos se tenait derrière elle en me regardant avec insistance. Lorsque la femme est partie, il m'a demandé si j'étais réellement Dan Crenshaw. Je le lui ai prouvé avec ma carte d'identité. Il a alors déclaré que je n'étais pas l'homme qu'il avait rencontré à Laredo pour discuter de la mise à disposition de la piste d'atterrissage de mon ranch.

— A-t-il décrit l'homme qu'il avait rencontré ? Pouvait-il s'agir de Williams ?

— Je ne crois pas. Carlos s'est excusé pour ma blessure. Lorsqu'il est devenu évident que mon état empirait, il a parlé de me ramener au ranch, mais j'ai dans l'idée qu'il espérait que je ne quitterais pas cet endroit vivant.

— C'est aussi ce que j'ai pensé, déclara Rafe. Je ne sais pas pourquoi, car finalement il n'a offert aucune résistance.

Dan s'esclaffa :

— Tu n'as pas idée à quel point tu es intimidant dans ta tenue de commando ! J'ai cru que j'étais mort et que le diable en personne m'accueillait ! Ceci dit, je crois que Carlos était bien content de se débarrasser de nous. Il a dû considérer qu'il n'était pas en danger, n'étant qu'un intermédiaire. En tout cas, il connaît le cerveau de l'affaire, mais je ne vois pas comment la police pourrait le retrouver. Je ne sais même pas où nous étions !

— Moi non plus… Donc, tu as tout raconté à la police ?

— Oui, avant de quitter l'hôpital. L'un des policiers m'a dit que j'apportais de nouvelles pièces à un puzzle sur lequel ils travaillent depuis quelque temps.

— Tu n'as donc pas été inculpé ?

— Moi ? Mais j'ai été kidnappé ! Je n'ai rien fait de mal !

— Non, si ce n'est être le propriétaire d'un ranch utilisé comme plaque tournante pour un trafic de marchandises...

Dan haussa les épaules.

— Oui, tu n'as pas entièrement tort.

— Est-ce la raison pour laquelle tu m'as demandé de revenir ?

Dan rit.

— Pas du tout ! Les deux affaires ne sont pas liées. En fait, c'est de la sécurité de mon usine que je voulais t'entretenir. Je ne sais pas ce qui se passe... Je croyais avoir un excellent système de surveillance, et pourtant, depuis quelque temps, certaines choses disparaissent...

— Des puces, par exemple ?

— James t'en a parlé ?

— Non, justement... Mais j'ai trouvé l'information dans le journal que tu avais laissé dans ton bureau. Et je me suis demandé si ce n'était pas cette marchandise-là qui s'envolait depuis le ranch.

— Si tu dis vrai, cela rejette tous les soupçons sur moi, puisque cette usine m'appartient ! se lamenta Dan.

— Dis-moi, en quoi pensais-tu que je pouvais t'aider ?

— J'ai consulté plusieurs sociétés de surveillance, sans succès. Alors j'ai réalisé que c'était d'un expert que j'avais besoin. J'ai donc pensé à toi.

— A moi ?

— Mais oui ! On t'a appris à contourner les systèmes de surveillance existants. Tu dois donc être capable de concevoir des astuces auxquelles aucun expert n'a encore pensé !

— Si je te comprends bien, tu voulais m'offrir un job ! conclut Rafe, non sans incrédulité.

— C'est un peu ça.

Rafe se gratta le menton.

— Je crains que ton traitement ne t'ait fait perdre la tête.

— Réfléchis à ma proposition, veux-tu ? Prends ton temps.

Il consulta sa montre.

— Mangeons un morceau. Tu vas me parler un peu de ce que tu as fait pendant tout ce temps. Tes lettres sont restées plutôt vagues...

— Mes lettres ? répéta Rafe. Toi, dans les tiennes, tu ne faisais que m'engueuler !

— Il fallait bien que quelqu'un te ramène à la réalité.

— Mouais..., je te remercie.

Rafe pensa à sa récente visite à sa mère et ses sœurs.

— Les affaires qui m'ont retenu dans l'est du Texas m'ont pris plus de temps que je ne le pensais, déclara-t-il. Je suis désolé d'avoir manqué Mandy.

— Oui, Mandy... Sa vie est en train de prendre un sacré virage. J'espère pour elle que ce sera dans le bon sens.

— Adopter un enfant est une grosse responsabilité.

— Mais ce n'est pas tout ! déclara Dan, un verre de bière à la main. Tom ne t'a pas mis au courant ?

Rafe sentit son estomac se nouer.

— Non, de quoi s'agit-il ?

— Eh bien, le bougre s'est enfin décidé à lui avouer ce qu'il ressentait pour elle... Alors elle est en train de réfléchir. Comme je la connais, elle pourrait bien laisser tomber son travail pour revenir vivre ici. Pas tout de suite, car elle a à

160

cœur de mener certains de ses dossiers à leur terme avant de démissionner. Mais elle pense qu'il serait mieux pour Kelly de vivre au ranch.

— Elle n'a pas tort.

— Tu sais, reprit Dan, j'ai eu beaucoup de temps pour réfléchir pendant toutes ces journées de convalescence. On a pas mal discuté avec Mandy de son travail auprès de ces gosses malheureux… Je songe de plus en plus à ouvrir au ranch un centre pour des gamins comme Kelly, afin qu'ils puissent avoir un endroit décent où vivre.

Comme il ne pipait mot, Dan continua :

— Avec les compétences de Mandy et l'argent de mon entreprise, nous pourrions construire ici un foyer pour les gosses qui n'en ont pas ! Qu'en penses-tu ?

— C'est une excellente idée, admit Rafe. J'ai vécu ici et je sais combien il était important pour moi à l'époque d'avoir l'impression d'être utile à quelque chose.

— Si nous mettions ce projet à exécution, nous aurions besoin de toi, Rafe. Tu comprends ces gamins mieux que quiconque. Mandy m'a raconté comment tu avais su amadouer Kelly et gagner sa confiance. Tu sais, tu serais tellement occupé que tu ne regretterais pas un seul instant tes jeux de commando !

Mais Rafe ne pensait qu'à une chose : comment supporterait-il de voir Mandy tous les jours, sachant qu'elle appartenait à un autre homme ?

— Je ne peux pas, Dan. Ma vie est ailleurs qu'ici. Mandy, Tom et toi vous débrouillerez très bien sans moi !

— Mais c'est un projet énorme ! Il va falloir bâtir de nouveaux bâtiments, une autre maison pour le contremaître… Un homme avec une famille a besoin d'espace.

— Ont-ils fixé une date… Tom et Mandy ?

Dan haussa les épaules.

— Je n'en sais rien. Tu le demanderas à Mandy…

Rafe acquiesça.

— Je pense effectivement faire un saut à Dallas pour rendre visite à Mandy et Kelly. Ensuite, je dois songer à reprendre le travail : j'ai des contrats à honorer. Je pourrai repartir de Dallas aussi bien que d'Austin…

— Mandy sera ravie de te voir. Tout comme Kelly ! C'est un gamin très attachant.

— Oui. Il m'a beaucoup manqué.

— Je crois que c'est réciproque.

Rafe alla dans la cuisine chercher une autre bière.

Il essayait de toutes ses forces de se convaincre que la meilleure chose qui puisse arriver à Mandy était d'épouser Tom.

13.

L'appartement de Mandy n'avait plus rien du logement net et rangé qu'il était avant l'arrivée de Kelly. En l'espace de quelques jours, celui-ci avait réussi à s'approprier l'endroit et à y imprimer son empreinte.

— Mandy, où Rafe est-il parti ? demanda le jeune garçon pour la centième fois depuis qu'ils étaient revenus à Dallas.

Elle soupira, cherchant à dissimuler son désarroi.

— Je ne sais pas, mon grand. Il ne me l'a pas dit.

Il lui fallait faire en sorte que Kelly efface le nom de Rafe McClain de son esprit...

— Il est parti comme ça ?

La question du gamin l'obligea à se remémorer la dernière fois qu'elle avait vu Rafe.

— Pas exactement. Il a dit qu'il avait des affaires à régler et qu'il reviendrait dans quelques jours...

— Mais ça fait des semaines qu'il est parti ! Tu crois qu'il nous a oubliés ?

Elle eut un sourire tremblant qu'elle espéra convaincant.

— Oh, sûrement pas ! Rafe n'oublierait jamais ses amis. Rappelle-toi ses paroles : quand il a un ami, c'est pour la vie !

— Il a une drôle de façon de traiter ses amis, ronchonna le garçon. Quand on a des amis, on leur rend visite.

— N'oublie pas que Rafe a un travail. Même les héros doivent retourner au travail… ou à l'école !

Le visage du gamin s'éclaira.

— Oui, mais moi j'aime l'école, alors ça va.

— Et Rafe aime son travail. Tu vois comme vous vous ressemblez !

Sa voix se brisa. S'ils ne changeaient pas de conversation tout de suite, elle allait fondre en larmes.

Le fait est qu'elle n'aurait pas dû être surprise de la façon d'agir de Rafe. C'était tout lui… Mais elle avait tellement espéré qu'elle ne pouvait s'empêcher d'être déçue : elle avait cru qu'aimer cet homme l'aiderait à faire tomber son armure, elle avait cru aussi que la rencontre de Kelly permettrait à Rafe de mieux analyser son enfance et de la surmonter. Hélas, ça ne semblait pas être le cas.

— Veux-tu aller au supermarché avec moi ? proposa-t-elle, se ressaisissant.

— Oh oui, j'adore faire les courses avec toi ! s'enthousiasma Kelly. On n'a pas besoin de compter chaque chose qu'on achète, comme avec maman.

— Hmm… Au fait, tu te souviens de la photo de ta mère et toi que tu m'as montrée l'autre jour ? Je l'ai déposée chez le photographe pour en faire un agrandissement. Comme ça, tu pourras l'avoir dans ta chambre.

Kelly hocha gravement la tête.

— C'est bien. Je ne veux pas oublier le visage de ma mère.

Il étudia Mandy pendant plusieurs secondes avant de se lever et de venir passer ses bras autour de son cou.

— Merci, Mandy. Je suis heureux d'avoir une amie comme toi !

*
* *

La route vers Dallas défilait devant les yeux de Rafe, dans le soleil déclinant.

Après avoir passé cette semaine avec Dan, il se disait qu'il était grand temps qu'il retourne à son ancienne vie. Oui, mais voilà, il ne parvenait plus à s'imaginer vivre à l'étranger, ni même à se projeter dans l'avenir loin du Texas.

Les choses changeaient à une vitesse…

Pendant son séjour au ranch, Dan et lui avaient rattrapé le temps perdu. Ils restaient assis des nuits entières à se raconter leur vie tout en buvant des bières. Au cours de ces conversations, il avait raconté à Dan ce qu'il avait découvert en allant rendre visite à sa mère.

Ça n'avait pas été facile, mais il avait admis ne pas avoir été juste envers elle. Elle n'avait pas mérité que son fils l'abandonne. Quant à lui, il s'était privé de la possibilité de voir grandir ses sœurs. De tout cela, il s'était entretenu avec Dan.

Ils avaient discuté de tout… sauf de Mandy.

Rafe n'avait envie de parler ni de la jeune femme ni de Tom, et encore moins de leur avenir commun ! Dan, lui, avait fait comme s'il ne se rendait pas compte que le nom de sa sœur n'était jamais évoqué entre eux.

Il avait seulement insisté pour qu'il utilise un *pick-up* du ranch pour se rendre à Dallas. Tom ou lui-même se chargerait de le récupérer lors d'une prochaine visite à Mandy.

Rafe avait conscience qu'il faisait preuve de faiblesse en allant rendre visite à la jeune femme, mais il s'était souvenu qu'elle lui avait fait promettre de lui dire au revoir avant de quitter les Etats-Unis. Elle avait raison : mieux valait faire ses adieux en bonne et due forme.

— Kelly, il est temps d'aller te coucher, répéta Mandy pour la troisième fois en l'espace d'un quart d'heure.

— Oh, il ne fait pas encore nuit ! protesta Kelly.

— Peut-être, mais il va te falloir un certain temps pour ranger tous tes jouets.

— Ce ne sont pas des jouets, ce sont des soldats, décréta le petit avec orgueil. Comme Rafe !

— Eh bien, tes soldats ont envahi le salon et font maintenant le siège de la cuisine !

Le gamin sourit de toutes ses dents. Mandy le contemplait avec tendresse.

— Tu sais quoi ? fit-elle soudain. Je te laisse jouer encore un quart d'heure si tu viens me faire un câlin !

Kelly se figea et la considéra de ses grands yeux bleus si expressifs.

— Un *câlin* ? répéta-t-il comme si c'était la première fois qu'il entendait ce mot.

— Oui, comme celui que tu m'as fait ce matin.

Il la regarda sérieusement puis sourit.

— C'est un marché alors ! s'écria-t-il. O.K. !

Il courut vers elle et se jeta à son cou. Ravie, elle le maintint serré contre elle quelques secondes, puis le laissa retourner à son jeu.

De toute évidence, les soldats fascinaient Kelly, elle ne savait pas pourquoi. A sa connaissance, Rafe n'avait pas parlé de son métier au jeune garçon…

Mandy s'allongea sur le canapé et regarda Kelly jouer. Elle n'avait aucune envie pour l'instant de se plonger dans ses dossiers.

Elle avait presque oublié à quel point la ville était bruyante et humide. Comment avait-elle réussi à vivre ici pendant toutes ces années ! Elle était tellement impatiente de faire ses valises et de retourner vivre au ranch !

Lorsque la sonnerie de la porte d'entrée retentit, elle sursauta. Elle recevait rarement de visiteurs, et plus rarement encore à cette heure de la journée…

— J'y vais, s'exclama Kelly en courant vers la porte.

— Non, Kelly, dit-elle avec fermeté en se levant. Nous ignorons de qui il s'agit, il ne faut pas ouvrir la porte avant de savoir.

— Ah oui, c'est vrai…

Mandy alla regarder dans l'œil de la porte et eut peine à en croire ses yeux.

— Qui est-ce ? chuchota Kelly.

La jeune femme déverrouilla la porte et recula pour que Kelly puisse se rendre compte par lui-même.

— Rafe ! s'écria-t-il. Tu es venu !

Et il se jeta dans ses bras.

Visiblement surpris, Rafe l'attrapa par les bras et le serra contre lui.

— Entre, fit Mandy, dont le ventre s'était noué. Ne reste pas dehors…

Rafe fit trois pas en avant et la laissa refermer la porte derrière lui. Aussitôt, Kelly se mit à le bombarder de questions tout en l'entraînant pour lui montrer son jeu de soldats.

Elle observait la scène.

Quelque chose chez Rafe avait changé, mais elle n'aurait su dire quoi. Il paraissait plus détendu, plus… en paix. Oui, il y avait chez lui une sérénité qu'elle n'avait jamais observée auparavant ! On aurait dit qu'il avait surmonté quelque chose qui le tracassait.

Sans doute attendait-il impatiemment maintenant de repartir à l'étranger…

Bon, c'était bien. Elle avait réussi à accepter cet état de fait. Il était temps pour elle de faire sa vie et de ne plus passer

167

son temps à regarder par-dessus son épaule à la recherche de ses rêves de jeune fille…

— C'est bon de te voir, dit-elle à Rafe en souriant. Quand es-tu arrivé à Dallas ?

— A l'instant. Dan m'a prêté son *pick-up*. Il a dit que je pouvais le laisser ici et qu'il le récupérerait plus tard.

— As-tu dîné ?

— Disons que j'ai grignoté.

— Je vais te donner quelque chose, si tu n'as rien contre les restes.

— Je ne me plaindrai jamais de ta cuisine !

Kelly gloussa.

— La cuisine de Mandy me fait grossir !

Rafe donna une tape sur l'estomac de Kelly.

— En effet, tu as pris du poids !

Kelly les suivit dans la cuisine, mais elle lui rappela qu'il devait ranger ses soldats. Le garçon regagna le salon en traînant des pieds.

— Tu as fait des merveilles avec ce gosse, commenta Rafe en s'asseyant à table.

— Il change tous les jours. C'est incroyable !

— Il avait vraiment besoin de reprendre du poids. C'est bien.

— Et il devient de plus en plus sociable. Je crois qu'il se sent en sécurité, maintenant.

— Dan m'a appris la nouvelle…

— Quelle nouvelle ?

— Votre idée de créer une maison d'accueil au sein du ranch pour les gosses comme Kelly.

— Oh, il y a un gros travail avant que ce projet puisse voir le jour, mais il est vrai que j'y pensais depuis longtemps… J'espère que Dan et moi pourrons réaliser ce rêve.

— Et Tom, ajouta Rafe.

— Oui, Tom va bien sûr y participer.

— J'en suis heureux. Je l'apprécie.

Elle sourit.

— C'est un type bien, c'est sûr.

— Je… je dois appeler la compagnie aérienne pour voir si je peux obtenir une réservation, bégaya Rafe, soudain pressé. Puis-je utiliser ton téléphone ?

— Vas-y. Tu peux dormir ici ce soir. Je te conduirai à l'aéroport quand tu le voudras.

Elle le regardait bien en face, déterminée à lui montrer qu'elle ne réclamait de lui rien d'autre que de l'amitié.

— Merci, Mandy.

— C'est à ça que servent les amis…

— Tu es une *très* bonne amie !

Quand il la regardait comme ça, elle avait toutes les peines du monde à rester maîtresse d'elle-même et à ne pas se jeter à son cou en le suppliant de rester !

Elle se détourna et prépara une assiette qu'elle plaça dans le four à micro-ondes.

Depuis que Rafe était réapparu au ranch, elle avait l'impression d'avoir passé le plus clair de son temps à lui faire la cuisine ! Enfin, d'autres choses aussi… mais ils avaient bouclé la boucle. Elle refusait de perdre de l'énergie à regretter ce qu'ils auraient pu partager de plus. Elle l'avait aimé et avait pris soin de lui, comme elle aimait maintenant Kelly et avait l'intention de prendre soin de lui.

Peut-être était-ce sa vocation, après tout : s'occuper d'hommes durs prétendant n'avoir besoin de personne… Ceci dit, Rafe n'en avait jamais démordu. De toute évidence, il n'avait vraiment besoin de personne !

Pendant qu'il se sustentait, Mandy alla superviser le coucher de Kelly. Lorsqu'elle revint, elle trouva Rafe nonchalamment assis dans un fauteuil du salon, l'air satisfait.

— Je ne sais pas si je te l'ai assez dit, Mandy, tu es un vrai cordon-bleu ! déclara-t-il.

— Merci, répondit-elle en s'installant sur le sofa.

— On dirait que tu as apporté du travail à faire chez toi.

— Oui, je dois rattraper mon retard.

— Ton métier va te manquer, non ?

— Un peu, sans doute. Mais j'ai bien l'intention de voir comment je peux me rendre utile dans la région d'Austin.

— As-tu découvert d'autres éléments sur Kelly ?

— D'après son certificat de naissance, nous savons où et quand il est né. Sa mère, Elaine Morton, figure sur le certificat, mais pas son père. Elaine avait seize ans à la naissance de Kelly et elle était livrée à elle-même.

— Sa vie a dû être difficile…

— Il s'agissait sans doute d'une adolescente en fugue, mais nous n'avons pas d'éléments tangibles qui nous le prouvent. Kelly ne se souvient de rien, en dehors de sa mère. Il affirme qu'elle ne voyait aucun homme et qu'elle travaillait beaucoup.

— Pauvre fille…

— Il est certain, en revanche, qu'elle prenait très au sérieux ses responsabilités envers son fils. Parmi les quelques papiers que l'on a conservés — des photos, le certificat de naissance de Kelly —, il y a le carnet de santé sur lequel ont été soigneusement notés tous les détails de sa croissance.

— Finalement, Kelly a eu plus de chance qu'on ne le pense…

— Je suis heureuse que tu l'aies trouvé avant qu'il ne soit pris en flagrant délit de vol.

Rafe acquiesça. Il resta silencieux un bon moment avant de reprendre la parole :

— Une des raisons pour lesquelles je suis venu est que je tiens à t'expliquer où j'étais ces dernières semaines…

— Tu ne me dois aucune explication, Rafe, déclara-t-elle. Je te suis tellement redevable d'avoir retrouvé Dan… Pour ça, tu as ma reconnaissance éternelle !

— Je suis heureux d'avoir pu le secourir. Cependant, si tu ne m'en avais pas parlé, je crois que je n'aurais pas eu l'idée de rechercher mes proches. Alors j'ai pensé que tu aimerais savoir ce que j'ai découvert…

Mandy écarquilla les yeux.

— Tu as retrouvé tes parents ?

Rafe hocha la tête.

— Ma famille a déménagé plusieurs fois après mon départ, ce qui explique qu'il m'ait fallu tant de temps pour retrouver sa trace. Mais j'ai réussi : ma mère et mes sœurs vivent à Eden.

— Et ton père ?

— Il a été tué dans un accident de voiture il y a dix ans. Ma mère et mes sœurs se sont donc retrouvées seules. Si j'avais su, j'aurais pu prendre soin d'elles…

— Mais tu ne pouvais pas savoir !

Dis plutôt que je ne *voulais* pas savoir. La haine que j'éprouvais pour mon père a occulté tout le reste. La nouvelle de sa mort m'a beaucoup secoué.

— Je comprends… Comment se porte ta mère ?

— Oh, elle va bien ! Mes sœurs sont mariées. La plus âgée a trois enfants et la plus jeune est enceinte pour la première fois. Leurs maris sont très sympathiques, tout le monde m'a accueilli à bras ouverts. Comme je regrette tout ce temps perdu…

Sa voix s'étrangla dans sa gorge.

Mandy ne dit rien. Elle comprenait… Et elle comprenait aussi maintenant pourquoi Rafe semblait avoir changé.

Elle alla dans la cuisine pour faire du café. Quand elle revint, Rafe s'était ressaisi.

— Tom a de la chance, Mandy, dit-il en acceptant la tasse qu'elle lui tendait. Je sais qu'il te donnera tout l'amour et la considération que tu mérites…

Elle posa le plateau sur la table et le regarda d'un air ébahi.

— Que veux-tu dire ?

Rafe haussa les épaules.

— Peut-être Dan n'était-il pas censé vendre la mèche, mais il m'a appris que Tom t'avait demandé de l'épouser.

Mandy se laissa tomber dans le fauteuil en face de lui.

— Je ne savais pas que Dan était au courant de ça !

— C'est sans doute Tom qui lui en a fait part.

— Mais je ne vois pas pourquoi ! J'ai dit à Tom que je pensais le plus grand bien de lui et que je ferais n'importe quoi pour lui… sauf l'épouser !

Elle considéra Rafe avec consternation.

— Comment as-tu pu croire que j'envisagerais de me marier avec un autre homme que toi, connaissant mes sentiments à ton égard !

Interloqué, Rafe la fixait sans comprendre.

— Tu veux dire que… que tu ne vas pas épouser Tom ?

— Certainement pas ! Je me connais assez bien pour savoir qu'un mari de substitution ne fera jamais l'affaire !

Rafe ferma les yeux.

— Mandy, ton honnêteté me tuera !

Mandy consulta sa montre.

— Ecoute Rafe, il est tard, dit-elle d'une voix ferme. Je n'ai malheureusement que deux chambres et, étant donné les circonstances, je préférerais que tu dormes ici, sur le canapé. Je n'aime pas les adieux qui s'éternisent, alors si tu me dis à quelle heure tu dois être à l'aéroport, je vais régler mon réveil pour t'y conduire à temps.

172

Puis, se levant d'un bond, elle alla prendre des couvertures et un oreiller dans le placard de l'entrée.

Quand elle revint dans le salon, Rafe n'avait pas bougé d'un pouce. Elle posa les couvertures sur le sofa et fit mine de quitter la pièce.

— Mandy ? appela Rafe d'une voix étrange.

Elle se retourna.

— Oui ?

— Je dois retourner à mon travail.

— Je le sais.

— Je me suis engagé pour deux ans. J'ai encore six mois à faire...

Pourquoi éprouvait-il soudain le besoin de s'expliquer ? Elle ne fit aucun commentaire.

— Le fait est que j'ai, euh... beaucoup réfléchi, reprit Rafe laborieusement. Dan m'a offert un poste très bien payé au sein de sa société...

Mandy ne le quittait pas des yeux.

Son cœur s'était soudainement mis à battre à coups précipités. Qu'est-ce que Rafe essayait de lui dire ?

Celui-ci se plongea dans la contemplation de ses mains, puis releva les yeux deux secondes avant de les rebaisser aussitôt.

— J'ai besoin d'être aussi honnête avec toi que tu l'as été avec moi...

Elle ne pipa mot, mais la boule dans sa gorge menaçait de l'étouffer.

Rafe releva enfin la tête et la regarda intensément.

— Je t'aime, Mandy. Je t'aime plus que tout au monde. Ces jours passés avec toi ont été un rêve et je ne veux pas sortir de ce rêve.

Mandy n'en croyait pas ses oreilles...

Elle devait être en train de rêver, il ne pouvait en être autrement ! Non, Rafe McClain ne s'était pas présenté à sa porte une heure plus tôt... Non, il ne venait pas de lui avouer qu'il l'aimait... Elle allait se réveiller.

Oui, mais pourvu que ce soit le plus tard possible !

— Mandy, j'ai découvert des choses sur moi qui me font honte et m'amènent à regretter la façon dont je me suis comporté, murmura Rafe. J'ai grandi en haïssant mon père, et pourtant j'en suis venu à lui ressembler de bien des façons. Bien sûr, je ne bois pas comme lui, mais j'ai adopté certains de ses traits de caractère sans m'en apercevoir.

— Rafe, dit Mandy avec douceur, ne te culpabilise pas, je t'en prie. Tu es un homme merveilleux. J'aimerais que tu puisses voir avec mes yeux l'homme que je connais et que j'aime...

— Mon monde a toujours été blanc ou noir. Je n'ai jamais laissé les gens s'approcher de moi, en dehors de toi et de Dan. Je ne veux plus vous perdre ni l'un ni l'autre.

Elle sourit.

— Même si tu le souhaitais, tu ne pourrais pas te débarrasser de nous comme ça !

Rafe prit une profonde inspiration.

— Je me demandais... Je sais que ça paraît incroyable, mais je me demandais si tu pourrais envisager l'idée de m'épouser, une fois que j'aurai terminé mon contrat et que je pourrai revenir aux Etats-Unis...

Mandy s'était mise à trembler. Elle allait sans doute se réveiller d'un moment à l'autre...

Jamais elle n'aurait imaginé entendre ces mots sortir de la bouche de Rafe. L'adolescente de quinze ans qu'il y avait toujours en elle était au comble de la joie, la femme de vingt-sept qu'elle était devenue ne l'était pas moins.

Il lui demandait de l'épouser !

— Oh, Rafe !

Ce fut tout ce qu'elle parvint à dire avant de se jeter dans ses bras.

Quand elle leva les yeux vers lui, un sourire heureux irradiait totalement le visage de Rafe. Jamais elle ne l'avait vu exprimer une joie aussi intense.

Il la serra contre lui et couvrit sa bouche de la sienne.

Elle ne lutta pas. C'était exactement ce qu'elle voulait !

Enfin, il releva la tête pour leur permettre de reprendre souffle.

— Puis-je considérer cette réponse comme un oui ?

— Je le crois...

— Je dois te dire une chose : je ne sais absolument pas ce qu'est un bon mari !

— Je ne sais pas trop non plus ce qu'est une bonne épouse, mais je suis prête à essayer.

— Je serai de retour au plus vite, promit-il.

— Je t'attendrai.

Rafe la serra contre lui.

— Je n'arrive pas à croire à la chance que j'ai. Mandy, comment peux-tu vouloir d'un homme aussi taciturne que moi ?

Elle se haussa sur la pointe des pieds et déposa un baiser léger sur ses lèvres.

— Parce que je t'aime et que je ne veux plus être seule sans toi.

Puis elle lui prit la main et l'entraîna vers sa chambre.

— J'ai comme l'impression que cette nuit va être plutôt courte...

Épilogue

Rafe arrêta son véhicule devant l'entrée du ranch Crenshaw, composa le code sur le clavier numérique et attendit l'ouverture de la grille. Remontant dans sa voiture, il se dirigea ensuite vers le groupe de bâtiments formant le cœur du ranch.

Depuis que, deux ans auparavant, il était revenu au Texas à la demande de Dan, de nombreux changements s'étaient opérés dans sa vie. Il avait aujourd'hui bien du mal à se reconnaître dans l'homme renfermé et amer qu'il était à cette époque...

La journée qu'il venait de vivre n'avait pas été facile, mais il avait fait en sorte d'être présent dans la salle d'audience pour soutenir Dan pendant qu'il témoignait.

Avant de repartir pour les six derniers mois qu'il devait passer à l'étranger, il avait fait part de ses soupçons aux autorités : pour lui, tout désignait James Williams dans l'affaire de vol et de trafic de composants informatiques qui mettait la région sur les dents. A son retour aux Etats-Unis, il avait commencé à travailler sur un nouveau système de surveillance pour l'usine de Dan, et la police lui avait alors demandé son aide pour tendre un piège aux voleurs de composants. Il n'en avait pas parlé à Dan, sachant la confiance que celui-ci manifestait à Williams...

Le piège avait fonctionné : les autorités avaient arrêté James Williams neuf mois plus tôt pour trafic illégal de composants informatiques — dont les circuits intégrés volés à DSC Corporation.

Dan avait été anéanti en apprenant cette nouvelle.

Il s'était d'abord emporté en apprenant que Rafe avait participé à l'arrestation, avant de comprendre qu'il avait, en réalité, tout fait pour le disculper. En effet, avant l'arrestation de Williams, Dan était le principal suspect, en dépit de sa blessure. Sa disparition n'avait fait qu'accroître les soupçons qui pesaient sur lui.

Non seulement son ami de longue date et associé l'avait trahi en trafiquant dans son dos, mais il avait également manœuvré pour que les soupçons retombent sur lui !

Maintenant, le procès touchait à sa fin.

Après l'audience, Rafe avait déposé Dan à son bureau avant de revenir au ranch. Il savait que son ami avait besoin de rester seul pour surmonter cette épreuve. Leur amitié leur permettait de se comprendre sans mot dire.

L'amitié pouvait parfois bouleverser toute une vie...

Si on lui avait dit, deux ans plus tôt, que l'appel au secours de Dan allait l'amener à se marier et à devenir le père comblé de toute une petite famille, il aurait ri aux éclats !

Il quitta la route principale pour emprunter celle qui menait à la maison que Mandy et lui venaient de faire construire. Il était à peine descendu de son véhicule que Kelly accourut à sa rencontre.

Comme tout adolescent de son âge, Kelly était grand et dégingandé. Dernièrement, il avait pris dix bons centimètres, il fallait lui acheter de nouveaux vêtements tous les deux mois !

— Eh, Rafe, comment ça va ? s'enquit Kelly, avant de se jeter à son cou dans un élan spontané qui ne manquait jamais de le toucher droit au cœur.

— Ça va, mon garçon, répondit-il en lui donnant l'accolade. Alors, content d'être en vacances ?

Un sourire ravi illumina le visage de Kelly.

— Oh oui ! D'ailleurs, je voudrais aller dormir chez Chris. Mandy a dit qu'il fallait que je te demande la permission…

— Vraiment ? Qu'est-ce que ça signifie, y aurait-il quelque chose que tu ne me dis pas ?

Kelly ouvrit de grands yeux innocents.

— Je ne vois pas ce que tu veux dire !

— Oh si, tu vois très bien. Mandy te donne toujours la permission de faire ce que tu veux, sauf lorsqu'il y a quelque chose qui l'inquiète. Alors, explique-moi !

— Mais il n'y a rien, je t'assure ! Chris a juste invité quelques copains, et on va regarder des vidéo, c'est tout !

— Hum… Et est-ce que par hasard un de tes amis n'aurait pas l'intention de conduire pour sortir draguer les filles ?

Kelly roula des yeux outragés.

— Ce que tu peux être méfiant ! s'exclama-t-il.

— Tu ne réponds pas à ma question.

— Ben… oui, Larry a le permis. Mais on n'a pas l'intention de sortir.

— Je suis heureux de l'apprendre. Alors si tu me promets que tu ne quitteras pas la maison de Chris à moins qu'un adulte ne te conduise, tu as ma permission de passer la nuit où tu veux.

— O.K., merci, papa !

— Et ces vidéo, elles sont correctes au moins ?

— Rafe ! Ce sont de super films d'action !

Rafe éclata de rire et pressa l'épaule de Kelly.

— Alors il faudra que tu m'en conseilles quelques-uns.

A ce point de leur conversation, ils avaient atteint la maison. Kelly s'y précipita pour se préparer à partir.

Rafe, lui, s'arrêta sur le seuil pour observer ce qui se passait dans la cuisine.

Maria, sa mère, était en train de placer dans le four un plat qui paraissait délicieux, tandis que Mandy, assise devant la chaise haute d'Angie, essayait de faire manger la petite fille. A l'allure peu ragoûtante de la bouillie que Mandy voulait enfourner dans la bouche de sa fille, Rafe se félicita qu'Angie l'observât avec circonspection.

— Comment vont mes femmes aujourd'hui ? demanda-t-il en les embrassant tour à tour.

Mandy soupira.

— Elle ne veut rien manger ! se plaignit-elle. Je crois qu'elle fait une dent… Tu sais qui elle me rappelle quand elle prend cet air obstiné ? Toi !

La mère de Rafe pouffa.

— On peut dire que c'est la fille de son père !

— Arrêtez un peu de vous moquer de moi ! protesta-t-il.

Il se pencha vers la fillette et tenta de la séduire :

— Tu veux que ton vieux papa te donne à manger, ma puce ?

Il prit la cuillère des mains de Mandy et la tendit à la petite qui ouvrit la bouche sans difficulté.

— Vous voyez, mesdames, il faut savoir s'y prendre ! Il suffit de la char…

Il s'interrompit pour regarder bouche bée la mixture qui venait de s'écraser sur sa chemise.

— Ah non, Angie ! Tu n'es pas mignonne !

Mandy et Maria se tenaient les côtes à force de rire. Angie, elle, lui adressa un sourire édenté en frappant de ses petites mains la tablette de sa chaise haute.

— Génial, marmonna-t-il. Bon, peut-être vaudrait-il mieux essayer un autre menu…

— Ne t'en fais pas, intervint Mandy. Elle a été grognon toute la journée. Je vais aller la mettre au lit.

Elle essuya les éclaboussures de bouillie sur sa personne et déposa sur sa joue un léger baiser.

— Au moins, tu auras essayé !

— Maman, qu'as-tu préparé à dîner pour ce soir ? s'enquit-il. Ça sent délicieusement bon !

— J'ai dit à ta mère qu'elle n'avait pas à faire la cuisine pendant son séjour, intervint Mandy en prenant Angie dans ses bras. Mais tu la connais, elle ne peut pas rester assise !

Quand elle eut quitté la pièce, la mère de Rafe prit la parole à son tour :

— Je compte pourtant bien cuisiner de plus en plus pour nourrir ta petite famille qui, je l'espère, va encore s'agrandir...

Rafe considéra sa mère avec étonnement.

— Tu es sérieuse, maman ? Tu envisages vraiment de t'installer avec nous ?

Maria hocha la tête affirmativement.

— Oui... Je continuerai bien sûr à rendre visite aux filles, mais elles n'ont plus besoin de moi. Ici, au moins, il y a de l'occupation...

Rafe prit sa mère dans ses bras et la serra contre lui.

— Oh, maman, je suis si heureux que tu viennes vivre avec nous !

— Mandy a besoin d'aide, et je veux suivre les progrès d'Angie. Je t'ai à peine vu grandir, alors je ne veux pas rater ça pour ta fille...

La gorge nouée, Rafe ne put prononcer un mot. Il se contenta de hocher la tête et sortit de la cuisine.

Il rejoignit Mandy dans la chambre du bébé : elle était assise dans le *rocking-chair* et berçait la petite Angie.

— Comment ça s'est passé pour Dan aujourd'hui ? s'enquit Mandy alors qu'il s'asseyait à côté d'elle.

— Plutôt bien. Il a répondu aux questions avec clarté et ne s'est pas laissé démonter par le contre-interrogatoire. La défense essaie toujours de l'impliquer, mais nous avons rassemblé suffisamment de preuves pour démontrer qu'il est innocent. Je crois qu'il avait besoin de se rendre compte que Williams est déterminé à lui faire porter le chapeau pour réaliser que cet homme n'était pas son ami…

— Crois-tu que James va être condamné ?

— Je ne vois pas comment il pourrait en être autrement. Le témoignage de Dan lui a été fort préjudiciable…

Ils redevinrent silencieux et observèrent Angie qui s'assoupissait peu à peu. Mandy la coucha et ils sortirent discrètement de la chambre.

— Je déteste le voir si tourmenté, soupira Rafe dans le couloir.

Mandy se tourna vers lui :

— Ne culpabilise pas pour cette histoire, Rafe. C'est grâce à toi si Dan n'a pas été arrêté… Il est fort, il s'en sortira.

Elle l'embrassa. Il la prit dans ses bras et lui rendit passionnément son baiser.

Mandy avait le don de lui faire perdre son sang-froid ! Son cerveau se mettait en veilleuse dès qu'elle le touchait, alors qu'une autre partie de son anatomie prenait vie de façon étonnante…

Ils se réfugièrent dans leur chambre. Lorsque, quelques minutes plus tard, ils se séparèrent à bout de souffle, elle lui dit en riant :

— Rafe ! Le dîner va être prêt ! Et puis ce n'est pas bien de laisser ta mère toute seule !

Il soupira.

— Tu as raison. Moi qui pensais que t'épouser refroidirait mes ardeurs… Je me suis bien trompé !

— Ça me convient plutôt ! répliqua-t-elle.

Elle lui prit la main.

— Ta mère a proposé de garder Angie ce soir pour que nous puissions sortir.

— O.K… Mais le principal endroit où j'ai envie de t'emmener, c'est dans ce lit !

— Tu es infatigable, déclara-t-elle en s'esclaffant.

Rafe secoua la tête, une fois de plus surpris de ses propres réactions.

Dès qu'il était en présence de sa femme, il avait l'impression d'être encore un adolescent connaissant ses premiers émois. Et il avait l'intuition qu'avec elle, il aurait toujours cette réaction…

Ce n'était pas lui qui allait s'en plaindre !

Le nouveau visage
de la collection Or

◆

AMOURS D'AUJOURD'HUI

Afin de mieux exprimer sa modernité et de vous séduire encore davantage, votre collection Or a changé de couverture et de nom depuis le 1er mars 1995.

Rassurez-vous, les romans, eux, ne changent pas, et vous pourrez retrouver dans la collection **Amours d'Aujourd'hui** tous vos auteurs préférés.

Comme chaque mois, en effet, vous y attendent des héros d'aujourd'hui, aux prises avec des passions fortes et des situations difficiles...

COLLECTION
AMOURS D'AUJOURD'HUI :
Quand l'amour guérit des blessures de la vie...

Chère lectrice,

Vous nous êtes fidèle depuis longtemps?
Vous venez de faire notre connaissance?

C'est pour votre plaisir que nous avons
imaginé un rendez-vous chaque mois
avec vos auteurs préférés, vos
AUTEURS VEDETTE dans les
collections Azur et Horizon.

Les **AUTEURS VEDETTE** vous
donneront rendez-vous pour de
nouveaux livres vedette.

Pour les reconnaître, cherchez
l'étoile... Elle vous guidera!

Éditions Harlequin

HARLEQUIN

LE FORUM DES LECTEURS ET LECTRICES

CHERS(ES) LECTEURS ET LECTRICES,

VOUS NOUS ETES FIDÈLES DEPUIS LONGTEMPS?

VOUS VENEZ DE FAIRE NOTRE CONNAISSANCE?

SI VOUS AVEZ DES COMMENTAIRES, DES CRITIQUES À
FORMULER, DES SUGGESTIONS À OFFRIR, N'HÉSITEZ
PAS... ÉCRIVEZ-NOUS À:
      LES ENTERPRISES HARLEQUIN LTÉE.
      498 RUE ODILE
      FABREVILLE, LAVAL, QUÉBEC.
      H7R 5X1

C'EST AVEC VOS PRÉCIEUX COMMENTAIRES QUE NOUS
ALLONS POUVOIR MIEUX VOUS SERVIR.

DE PLUS, SI VOUS DÉSIREZ RECEVOIR UNE OU
PLUSIEURS DE VOS SÉRIES HARLEQUIN PRÉFÉRÉE(S)
À VOTRE DOMICILE, NE TARDEZ PAS À CONTACTER LE
SERVICE D'ABONNEMENT; EN APPELANT AU
(514) 875-4444 (RÉGION DE MONTRÉAL) OU 1-800-667-4444
(EXTÉRIEUR DE MONTRÉAL) OU TÉLÉCOPIEUR
(514) 523-4444 OU COURRIER ELECTRONIQUE.
AQCOURRIER@ADONNEMENT.QC.CA OU EN ÉCRIVANT À:
      ABONNEMENT QUÉBEC
      525 RUE LOUIS-PASTEUR
      BOUCHERVILLE, QUÉBEC
      J4B 8E7

MERCI, À L'AVANCE, DE VOTRE COOPÉRATION.

BONNE LECTURE.

HARLEQUIN.

VOTRE PASSEPORT POUR LE MONDE DE L'AMOUR.

__COLLECTION HORIZON__

Des histoires d'amour romantiques qui vous mènent au bout du monde!

Découvrez la passion et les vives émotions qu'apportent à la Collection Horizon des auteurs de renommée internationale!

Captivantes, voire irrésistibles, ces histoires d'amour vous iront assurément droit au coeur.

Surveillez nos trois nouveaux titres chaque mois!

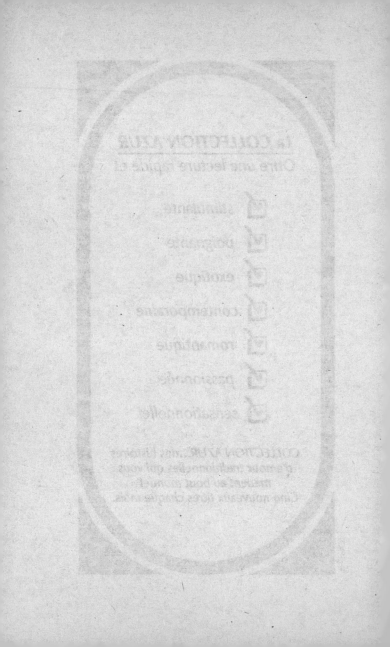

♉ ♊ ♋ ♌ ♍
69 **L'ASTROLOGIE EN DIRECT**
TOUT AU LONG
DE L'ANNÉE. ♒

(France métropolitaine uniquement)
Par téléphone 08.92.68.41.01
0,34 € la minute (Serveur SCESI).

Composé et édité par les
*éditions*Harlequin
Achevé d'imprimer en septembre 2005

BUSSIÈRE
GROUPE CPI

à Saint-Amand-Montrond (Cher)
Dépôt légal : octobre 2005
N° d'imprimeur : 52162 — N° d'éditeur : 11602

Imprimé en France